ザ・タロット

藤森 緑

はじめに

　大アルカナを使用したタロット占いの入門書、『はじめての人のためのらくらくタロット入門』を説話社から出版させていただいたのが、2008年11月。そしてその続編である、小アルカナがメインの『続　はじめての人のためのらくらくタロット入門』を出版させていただいたのが、2009年2月になります。

　「はじめてタロットカードに触れた人のための本」というコンセプトでの出版でしたが、両方共、発売から順調に増刷を重ね続け、わずか2年半の間に驚くほど多くの方々にご購入いただきました。説話社から増刷のご連絡をいただくたびに、出版されてから月日が経っても勢いの落ちない販売状況を実感して、非常に嬉しく思ったものです。

　既に大型書店やインターネットの販売サイトには、数え切れないほど多くのタロット占いの本が並べられていますが、歴史や絵の象徴説明などの蘊蓄を極力省き、純粋にタロット占いをスムーズにマスターすることに特化した本が少なかったことと、それを待ち望んでいた人が多くいらっしゃっていたことの表れではないかと感じています。

　この2冊がご好評をいただき、「さらにレベルアップした内容の本を」というご要望を読者から数多く寄せていただいていたことから、このシリーズの続編として、タロット占いの中級本を執筆させていただく運びとなりました。

　本書は、『はじめての人のためのらくらくタロット入門』と『続　はじめての人のためのらくらくタロット入門』を既にお持ちになっている方、もしくはある程度タロット占いをマスターされている方を読者対象とさせていただいております。

　ですからまだタロット占いをしたことがない方は、まずは前述した2冊をお求めになり、基本的な占い方をマスターしていただけると幸いです。

その上で本書を通して、さらにカードの読み方をブラッシュアップしていただけることを願っています。

　本書では、各カードのイメージフレーズを全体運、恋愛運、仕事運、金運、その他・健康運と細分化して掲示すると共に、ウェイト版（ライダー版）のタロットの各カードが持つ絵柄の意味を詳細に記載しています。

　また、「タロット占いQ＆A」では、読者からいただいたご質問への回答を中心にして、タロット占いをより深く楽しむ方法をお伝えしています。

　しかし私自身が実感することですが、タロット占いを修得するためには、難しい知識はあまり必要ありません。専門的な知識を頭に詰め込むよりも、まずは占い方の基本をしっかりマスターすること、そして日頃から実占を重ねて読む力を磨いていくことの方が大切だと思っています。実際に私自身の中での各タロットカードの意味は、本で丸暗記したものよりも、直接占いを通してタロットカードから教えていただいたものの方が多くなっています。何事もそうですが、書かれたものを暗記するよりも、自ら体得した経験を通した方が、断然身につくものです。

　また、見えない世界から伝えられるメッセージを読み取るタロット占いは、直感力は無いよりもあった方が的確な回答を読み取ることに対して断然有利になります。ですから完全に本に書かれた内容に頼るのではなく、普段から感性を研ぎ澄ませて直感力を磨き、自分なりのカードの読み方を開発してみることも、タロット占いを上達させるためのポイントであるといえます。

　タロット占いをもっと身近に感じて楽しみたい人、そして展開されたカードをもう少し深く読み込みたいという人のために、本書がほんの少しでもお役に立つことができれば、著者としてこれほど嬉しいことはありません。

CONTENTS

はじめに　　2

I　タロットカードの意味　　9

0. 愚者	10		棒エース	54
I. 魔術師	12		棒2	56
II. 女教皇	14		棒3	58
III. 女帝	16		棒4	60
IV. 皇帝	18		棒5	62
V. 法王	20		棒6	64
VI. 恋人	22		棒7	66
VII. 戦車	24		棒8	68
VIII. 力	26		棒9	70
IX. 隠者	28		棒10	72
X. 運命の輪	30		棒ペイジ	74
XI. 正義	32		棒ナイト	76
XII. 吊るされた男	34		棒クイーン	78
XIII. 死神	36		棒キング	80
XIV. 節制	38		金貨エース	82
XV. 悪魔	40		金貨2	84
XVI. 塔	42		金貨3	86
XVII. 星	44		金貨4	88
XVIII. 月	46		金貨5	90
XIX. 太陽	48		金貨6	92
XX. 審判	50		金貨7	94
XXI. 世界	52		金貨8	96

金貨9	98		剣ナイト	132
金貨10	100		剣クイーン	134
金貨ペイジ	102		剣キング	136
金貨ナイト	104		聖杯エース	138
金貨クイーン	106		聖杯2	140
金貨キング	108		聖杯3	142
剣エース	110		聖杯4	144
剣2	112		聖杯5	146
剣3	114		聖杯6	148
剣4	116		聖杯7	150
剣5	118		聖杯8	152
剣6	120		聖杯9	154
剣7	122		聖杯10	156
剣8	124		聖杯ペイジ	158
剣9	126		聖杯ナイト	160
剣10	128		聖杯クイーン	162
剣ペイジ	130		聖杯キング	164

II　タロット占いQ&A　　167

- Q1 「そもそもタロット占いに適する質問と適さない質問の違いについて教えてください」　168
- Q2 「占い途中のタブーを教えてください」　172
- Q3 「タロット占いに慣れてきたので、違う種類のタロットを使おうと思うのですが、何か気をつけた方がよい点はありますか?」　173
- Q4 「絵柄の意味を深く読みたいのですが、どうすればよいですか?」　174
- Q5 「1枚～3枚程度ではない、多数枚スプレッドをリーディングする際のコツを教えてください」　176

Q6 「悩みによってスプレッドを使い分けていきたいのですが、どのような区分けを考えるとよいのでしょうか？」 179

Q7 「小アルカナのリーディングが難しいです。どうすればよいのでしょうか？」 180

Q8 「スプレッドがすべて逆位置の場合はどうしたらよいのでしょうか？」 182

Q9 「電話やメールなどの対面鑑定ではないケースではどんなことに気をつけたらよいのでしょうか？」 183

Q10 「同じ質問を違うスプレッドで見ても大丈夫なのでしょうか？ もしくは、質問内容を少し変えることで占うのは問題ないのでしょうか？」 184

Q11 「はじめはスリーカードでリーディングしていましたが、あまり意味がうまくとれずに多数枚リーディングに移行しましたが、そういうやり方は問題ないのでしょうか？」 185

Q12 「逆位置が覚えられないので、正位置だけでリーディングをしてもよいものなのでしょうか？」 186

Q13 「多数枚スプレッドで「最終結果」など、その質問のまとめといえる箇所だけネガティブなカードが出てしまいました。他の箇所はポジティブで良好な意味を持つカードばかりです。どのように解釈したらよいのでしょうか？」 188

Q14 「同じスプレッドの中で相反する意味の組み合わせが出てきてしまいました。どのように解釈したらよいのでしょうか？」 189

Q15 「カードにはたくさんの意味が込められているため、あるスプレッドでカードを見た時に、その意味を一つに絞りきれない場合はどうしたらよいのでしょうか？」 190

Q16 「意味が似ているカードの違いを教えてください」 191

Ⅲ　タロットスプレッド解説　199

1　タロット占いの基本　200
2　ケルト十字　202
3　ヘキサグラム　204
4　ホロスコープ　206
5　ナインカードスプレッド　208

Ⅳ　ケーススタディ　　209

ケース1
【恋愛・結婚】
「職場の同僚の男性が気になっています。以前は親しかったのですが、違う部署になってからほとんど話さなくなってしまいました。軽く食事に誘いたいのですが、誘って大丈夫でしょうか？　相手は私をどう思っていますか？」　　210

ケース2
【恋愛・結婚】
「2年間交際した男性と別れてから1年が経過しました。たまにメールのやり取りをする仲です。まだ未練があるので復縁したいのですが、可能でしょうか？」　　212

ケース3
【恋愛・結婚】
「半年間同棲している彼女と、そろそろ籍を入れて結婚したいと思っています。今プロポーズすると、受け入れてもらえますか？」　　214

ケース4
【恋愛・結婚】
「年上の男性と半年ほど交際していますが、もともと彼への愛情はなく、今後は恋愛よりも夢を追うことに力を入れたいと思っています。彼と上手に別れられますか？　また、別れるためにはどうしたらよいですか？」　　216

ケース5
【仕事】
「就職活動で多くの会社を回りましたが、思うように内定がもらえません。このまま就職活動を続けて、無事に就職することはできますか？」　　218

ケース6
【仕事】
「今の仕事は適度に忙しく大きな不満はありませんが、今一つ熱意を持てず、何か物足りない気がします。かといって転職する勇気もないのですが、どうしたらよいのでしょうか？」　　220

ケース7
【仕事】
「最近独立して、近々自分の飲食店をオープンする予定です。売上は安定しますか？」　　222

ケース8
【仕事】
「客商売の会社を経営していますが、我が社の今年1年の業績や動向はどうなりますか？」　　224

ケース9
【健康】
「心の病に苦しみ、最近になって病院に通い出しました。まだ回復の兆しは見えないのですが、いつ兆しが見えますか？　そして1年以内には良くなりますか？」　　226

ケース10
【健康】
「ダイエットをしては、すぐに挫折する繰り返しです。最近になってさらに体重が増加してしまいました。近いうちにダイエットが成功して、理想の体型になれますか？」　　228

ケース 11 【人間関係】	「数人のグループから、最近になっていじめを受けるようになりました。このいじめはずっと続きますか? どうすればいじめられなくなるのでしょうか?」	230
ケース 12 【人間関係】	「最近になって母親との仲が悪く、時々兄弟姉妹の中でも自分だけに冷たい態度を取ってくる気がします。何が原因なのでしょうか?」	232
ケース 13 【未来予測】	「特に大きな悩みはないのですが、これから1年間で何か気をつけた方がよいことがあれば教えてください」	234
ケース 14 【その他】	「銀行で使う大事な印鑑をなくしてしまいました。家の中にありますか? あるとしたら、家の中心から見てどの方角にありますか?」	236
ケース 15 【その他】	「以前飼っていた犬が老衰で死んでから1年経ちますが、よその家で飼えなくなった2才の小型犬を引き取ろうかと考えています。無事に懐き、家族の一員になってくれますか?」	238
ケース 16 【その他】	「東京23区内の会社に勤めていますが、来年1年間は日本各地へ出張する予定です。私にとっての吉方位はどれですか?」	240

コラム1 「タロットと西洋占星術」	166
コラム2 「タロット鑑定がマイナスに働く場合」	198
コラム3 「未来は決められているか」	242

版権許諾	243
おわりに	244
著者紹介	246

I

The Meanings of Tarot

タロットカードの意味

まずはライダー版（ウェイト版）タロットカード78枚すべての意味を確認しましょう。正位置と逆位置のイメージフレーズをしっかりと覚えた上で、カードの絵柄の意味を考えることであなたのカードの理解力は格段にアップするはずです。

0. 愚者
THE FOOL

　異次元の世界の王子が、刺繍を施した荷物を棒に結びつけて掲げ、うっとりとした表情で空を仰いで歩いています。彼の魂はさまざまな経験を求めているため、目的地を決めずに自由奔放に旅を続けているのです。空にさんさんと輝く太陽が、ますます彼の「素晴らしい経験をしたい」という冒険心を高めています。

　しかし、高所を歩く彼は無意識のうちに崖っぷちに近づき、あと一歩踏み出せば谷底に転落することに気づいていません。彼の友達である白い犬が、足元で彼に危険が迫っていることを伝えています。それでも彼は恐れずに、前に足を踏み出すのです。谷に落ちる身体を天使が支えてくれると信じているため、恐怖感がないのです。

　この「愚者」は、トランプではジョーカーとつながりがあるとされ、大アルカナの中では異端視されるトリックスター的な存在です。そのため実占では、「白紙状態」を示す場合や集中して占っていない場合に出やすくなる、特殊なタロットカードであるといえます。

0 愚者 THE FOOL

	● **正位置** のイメージフレーズ	● **逆位置** のイメージフレーズ
①**全体運**	気ままな冒険家 自由な行動 思いつきの行動 純粋無垢な精神	無計画で愚かな行動 コロコロ変わる気分や状況 根なし草的な生き方
②**恋愛運**	恋に無関心 恋を探し求める旅 恐れずに飛び込む恋	不安定な恋愛状況 責任感のない恋 その場限りの恋
③**仕事運**	フリーター生活 フリーでの活躍 仕事を探し求める	定職に就けない状態 続かないバイト ニートの生活
④**金　運**	金銭運用に無頓着 好きなことへの自由な投資 貧しさが気にならない生活	お金に無関心 湯水のように散財する カードローンや借金に走る
⑤**その他** **健康運**	一人旅の充実 意識しないことで健康体に	白紙の状態 健康を無視した不規則な生活 変わりやすい体調

Ⅰ. 魔術師
THE MAGICIAN

　黄金に輝く背景の中で、若く自信に満ちた表情の魔術師が立ち、天と地を指しています。空に向けた右手のワンドから天の世界の美徳や光を受け取り、その力を左手に流して、地上に降り注がせているのです。そして彼の目の前にあるテーブルには、自然界の四元素の象徴であり、小アルカナのスートでもある、棒（火）、剣（風）、聖杯（水）、金貨（地）が置かれています。これは、彼がこの四元素を自由に操れる能力があることを示しています。

　また、彼の頭上に浮かぶ無限大のマークは、彼のベルトとなっている、自分の尾を噛み輪を作っているウロボロスの蛇と共に「永遠」を象徴し、彼が止まることなく魂の成長を続けていく人物であることを示しています。

　かつてこのカードは、「ペテン師」とも呼ばれていました。ペテン師は決して人に好かれませんが、頭の回転が非常に速く、器用でなければ務まりません。この魔術師は、その多才さを自分のために活用しているのです。

	正位置 のイメージフレーズ	逆位置 のイメージフレーズ
①全体運	無からの創造 自信を持った行動 新たな展開を切り開く	自信がなく気弱な精神状態 力を発揮できない 不本意で冴えない状況
②恋愛運	出会いをつかむ 新たな恋の順調なスタート 男性の押しで成功する	勇気がなく進展しない恋 キッカケをつかめない 中途半端な関係
③仕事運	就職・転職活動、独立の成功 単独で手腕を発揮する 自己主張が通る	惰性で続ける仕事 就職・独立ができない 能力を活かせない
④金　運	能力が増益につながる 投資の成功 大きな買い物の成功	右肩下がりの収入 買い物などのタイミングを逃す
⑤その他 健康運	若く行動力のある男性 みなぎる体力	体力に欠ける状態 運動不足

I 魔術師 THE MAGICIAN

II. 女教皇
THE HIGH PRIESTESS

　椰子と女性性の象徴であるザクロが描かれた幕の前に、女教皇が鎮座しています。その両脇には、エルサレム神殿の入り口にあったとされる2本の柱がそびえ、左の黒い柱には闇という意味の「ボアズ」の頭文字「B」が、右の白い柱には光という意味の「ヤキン」の頭文字「J」が書かれています。女教皇が手にしている書物「TORA（トーラ）」は、旧約聖書の五つの書である律法であり、それが半分衣服に隠されているのは、女教皇が教えを簡単には明かさないことを示しています。

　カトリック教会では、歴史上、女教皇は存在せず、このカードの女教皇は、架空の人物である女教皇ヨハンナをモデルに描かれたという説があります。ヨハンナは、男性に変装して9世紀にローマ教皇に在位した女性であり、非常に深い学識を備え、周りには対等な学識を持つ者がいなかったとされています。そのため、知性を示すこのカードには、ヨハンナを偲ばせる女教皇が選ばれたのだと想像できます。

II 女教皇 THE HIGH PRIESTESS

		正位置のイメージフレーズ	**逆位置**のイメージフレーズ
①	全体運	高い知力と学識 感情より理性が勝る状態 合理的に進む状況	冷酷で無慈悲な性質 旺盛な批判精神 イライラしやすい状況
②	恋愛運	プラトニックラブ 恋愛感情を持てない状態 思考で進める恋	恋愛への嫌悪感 愛情を持てない閉ざされた心 通い合わない情
③	仕事運	高い事務処理能力 計画的に進む仕事 知識や技能を活かせる	視野の狭い仕事 発展しない仕事 不満とストレスが多い仕事
④	金　運	計画的な金銭運用 しっかりした金銭管理 貯蓄額の順調な増加	細かい金額にこだわる ケチで出費を惜しむ 潤わない経済状態
⑤	その他 健康運	学業や資格取得の成功 健康管理やダイエットの成功	勉強がはかどらない 学業や資格取得の失敗 頭痛・神経痛

Ⅲ. 女帝
THE EMPRESS

　トウモロコシもしくは小麦のような穀物が辺り一面に実り、澄んだ小川が流れて優雅な滝を作る、大自然の恵みが溢れる豊かな土地。農作物は、まさに収穫の時期を迎えています。その中で穏やかで幸福そうな表情を浮かべ、ゆったりと座っている女帝。女帝の肉体が豊満に見えるのは、普段から豊かな食生活を送っているためです。そして良い質感を持つ艶やかなドレス、12個の星が飾られた輝く王冠、右手に掲げた笏、厚いクッションなど、どれを取っても豪華であり、女帝が物質的に満たされた生活を送っているのは一目瞭然。また、既婚である彼女は妊娠中であると判断でき、ここにも大きな実りがあります。そして足元の盾は愛情の象徴であるハート型であり、その上に愛の星である金星のマークが描かれています。

　愛情にも物質的な富にも恵まれた女帝は、幸福の絶頂にいます。そんな時こそ周りに豊かな愛情を感じ、厚い慈愛心を発揮することができるのです。

	正位置 のイメージフレーズ	逆位置 のイメージフレーズ
①全体運	溢れる満足感 家族愛や友情に恵まれる 豊満な魅力	贅沢からくる不満 欲張りな精神状態 過剰気味
②恋愛運	深い真の愛情 愛し愛される喜び 結婚にまで進む恋	募る異性への不満 激しい嫉妬 誠意のない交際 近すぎる関係
③仕事運	充実感溢れる仕事 好きなことを仕事にする 報酬の多い仕事	努力せず成果や報酬を求める 怠け心が出る うんざりする仕事状況
④金運	大きな報酬を得る 貯蓄額が増える 裕福で満たされた生活	贅沢癖が抜けず浪費する 物を無駄にため込む 借金生活
⑤その他 健康運	子宝に恵まれる 過食が原因で肥満気味	望まない妊娠 不衛生・不摂生からくる病気 生活習慣病

Ⅲ 女帝　THE EMPRESS

Ⅳ. 皇帝
THE EMPEROR

　「女帝」のカードが母親を示すのに対して、「皇帝」は父親を示します。カードに描かれた皇帝は白く豊かなひげをたくわえ、人生経験が豊かな中年以上の男性であることがうかがえます。そして右手にはエジプト十字がついた笏を持ち、左手には地球を意味する球を乗せ、世界の支配を求めるほどの視野の広さと野心を持っていることがわかります。実際に、常に戦闘態勢に入るために鎧をまとったこの皇帝の行動力は凄まじく、誰からもリーダーとして頼られるほどの剛腕の持ち主なのです。

　また、皇帝のカードは西洋占星術では牡羊座と対応しており、そのため台座の四隅に羊の顔が飾られています。牡羊座の性質は、猪突猛進で、一つの目標に向けて情熱的に突き進むというもの。牡羊座のカラーである赤い衣服が、皇帝のその性質を強調しています。

　ただし、皇帝が腰かけている台座は、物質を象徴する四角形です。彼が求めるのは精神的幸福感よりも、物質的満足感なのです。

IV 皇帝 THE EMPEROR

	● 正位置 のイメージフレーズ	● 逆位置 のイメージフレーズ
①全体運	社会的責任 任務の遂行 リーダーシップ 状況に応じた的確な行動	傲慢でワガママな態度 能力の過信からくる手抜き 無責任
②恋愛運	異性への強い責任感 義務感のある交際 結婚につながる恋	男性側が傲慢な交際 一方的に尽くす恋 結婚まで進まない恋
③仕事運	指導者として働く 大役をやり遂げる 出世して高い地位を得る	実力を過信する 足元が崩れて地位が揺らぐ 任務を遂行できない
④金　運	経済的基盤を築く 正当な報酬を得る 大きな買い物の成功	見栄を張り散財する 減っていく貯金高 不安定な収入
⑤その他 　健康運	中年以上の男性 頑健な肉体 身体は堅い傾向	傲慢で自信過剰な男性 慢性的な疲労 血行不良 運動不足

V. 法王
THE HIEROPHANT

　宗教上の最高指導者である法王が柱と柱の間に座し、目の前にいる二人の若い聖職者に教えを伝え、右手で祝福のサインを送っています。「女教皇」では一人で書物を持ち、それを半分ほど衣服で隠していたのに比べ、「法王」は書物を持たず、人々に口頭で教えを広めています。これは「女教皇」が書物で秘教を守るのに対して、「法王」は自身が法であり、秘密にせず明らかに説かれる顕教に関わる役割があることを示しています。

　法王がかぶっている三重冠と手にしている三重の十字架がついた笏は、父・子・精霊の三位一体、もしくは天上・地上・地下、人間の精神・肉体・魂の三領域にまで、法王の力が及ぶことを象徴するとされています。

　それほど高い地位を持ち、人々から敬われる法王ですが、決して傲慢になったり自分の得を求めたりすることはありません。常に寛大な精神と与える姿勢を忘れず、どんな場面でも心を乱すことなく、人々に神の教えを説き続けるのです。

V 法王 THE HIEROPHANT

	■ 正位置 のイメージフレーズ	■ 逆位置 のイメージフレーズ
①全体運	豊かな慈愛心 安らかな精神状態 弱者を助ける 目上からの援助を得る	視野と心の狭さ 思いやりや理解に欠ける状態 余裕のなさ 孤立無援
②恋愛運	紹介を通した良縁 見守るか見守られる温かい交際 結婚に進む恋	自分の得を求める恋 理解に欠ける異性 心が通い合わない恋
③仕事運	理解ある上司に恵まれる 安定した経営状態 安らぎを感じる仕事 福祉事業	上司に恵まれない ストレスがたまる仕事 社会に役立たない仕事
④金　運	納得できる報酬 贈り物をもらう 募金したりされたりする	納得できない報酬 ケチになりすぎる 窮屈な経済状態
⑤その他 　健康運	信頼できる目上の人物 聖職者 穏やかな体調	イライラが体調を崩す 頭痛など小さな痛み

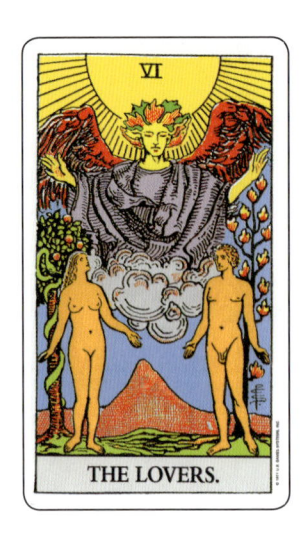

VI. 恋人
THE LOVERS

　このカードには、旧約聖書で最初の人間と記されている、エデンの園から追放される前のアダムとイブが描かれています。「恋人」には、こうしたカップルが描かれているカード以外にも、一人の男性が「美徳」と「悪徳」という二人の女性に挟まれ、選択に迫られているという絵柄のものもあります。それには「選択する」という占いの意味が含まれます。

　エデンの園のアダムとイブは若く純粋無垢で、欲望というものを知りません。南中した輝く太陽の下で、大天使が両手を広げて地上に力を注いでいます。アダムの後ろには12個の実をつけた生命の樹があり、イブの後ろには善悪を知る知恵の樹があります。知恵の樹に絡みついた蛇は、純真な二人に禁断の知恵の樹の実を食べるようにと、そそのかしています。

　大天使に守られた二人は、幸せに楽しく過ごしています。しかし遠方にそびえる高い山は、二人の行く末には困難が待ち受けていることを、静かに暗示しています。

	● 正位置のイメージフレーズ	● 逆位置のイメージフレーズ
①全体運	ウキウキする気持ち 楽しい人間関係 訪れる楽しい状況	ひとときの快楽 その場限りの楽しみ 責任感のない軽い気持ち
②恋愛運	心ときめく交際 高まる恋愛ムード 深刻さのない楽しい恋	遊びの軽い恋 その場限りの恋愛関係 複数の異性との交際 別れが訪れる
③仕事運	イベント性の高い楽しい仕事 趣味を仕事にする 明るく楽しい職場	惰性で取り組む仕事 忍耐不足で続かない仕事 サボり癖
④金運	心が弾むショッピングやグルメ 少額だけ当たるギャンブル 小さな報酬	無駄遣い 遊びや趣味で浪費する 貯蓄できない経済状態
⑤その他 健康運	交友関係とレジャーの充実 明るい心が健康体を築く	健康管理に無頓着 不規則な生活

Ⅵ 恋人 THE LOVERS

… タロットカードの意味

Ⅶ. 戦車
THE CHARIOT

　戦闘意欲に満ちた王子のような若い男性が、直立して華やかな天蓋のついた戦車に乗っています。その戦車を2頭の馬、もしくはスフィンクスが引いていますが、それぞれ白と黒という正反対の色を持ち、この2頭がそれぞれ全く違う性質を持っていることを示しています。ですから戦車に乗った若者は、ただ闇雲に鞭で叩いて前進するだけではなく、その異なる力を上手にコントロールし続けなければ目的地へ辿り着くことができません。若くエネルギッシュな彼にとって、それは苦痛な作業ではありますが、結果的には上手くやってのけ、勝利を収めることができるのです。また、ウェイト版に馬ではなくスフィンクスが描かれているのは、若者がスフィンクスの謎に答え、精神的な勝利を得たことを示しているためです。

　かつてこのカードには、戦勝を祝うために飾り立てて街を走る、凱旋車が描かれることもありました。それだけ勝利と縁が深いカードだといえるのです。

VII 戦車 THE CHARIOT

	▍正位置 のイメージフレーズ	▍逆位置 のイメージフレーズ
①全体運	スピーディーな前進 積極的に開拓する未来 情熱のままに突き進む	暴走もしくは停止する 足踏み状態に陥る 物事が分裂する
②恋愛運	急速に縮まる二人の距離 急接近してくる異性 情熱に身を任せる恋	価値観や性格が合わない二人 勇気がなく進まない恋 訪れる別離
③仕事運	積極的な開拓で成功する 交渉が有利に進む 下剋上の成功	自己流に走り失敗する 取引先との不一致 努力が結果につながらない
④金　運	副業などで集中的に稼ぐ ギャンブルの成功 先行投資の成功	先行投資の失敗 衝動買いの失敗 ギャンブルでの損失
⑤その他 健康運	勢いのある若い男性 スポーツが心身にプラスになる 手術の成功	無謀な若い男性 スポーツなどでケガをする 事故の心配

Ⅷ. 力
STRENGTH

　繊細で女性らしいデザインのドレスを身にまとった若い女性が、荒々しい性質を持つ大きな獅子に手をかけて、その口を閉ざそうとしています。大変な力が必要な動作であるにも関わらず、女性の表情は穏やかです。これは、この女性が慈悲心と忍耐力によってこの獅子を手なずけていることと、獅子を押さえることに微塵の不安もなく、絶対的な自信を持っているためです。彼女は決して怪力を使っているのではなく、強い意志と自信という精神力を持って、荒れ狂う獅子の口を押さえ込んでいるのです。腰につけた花の鎖で獅子をつないでいることが、この獅子を既に自分のものにしていることを示しています。

　また、女性の頭上に浮かぶ無限大のマークは、「魔術師」で登場したものと同様に、この女性が永遠に魂の成長を求める人物であることを象徴します。しかし魔術師が道具を駆使しているのに対して、この女性は素手。それだけストレートな力と自信を携えているのです。

		正位置 のイメージフレーズ	逆位置 のイメージフレーズ
①	全体運	問題に当たる強固な意志 自力でつかむ成功 目標を達成する 困難の克服	深く落胆する 激しい落ち込み 力を出せずに失敗する
②	恋愛運	アタックの成功 熱意が伝わり両想いになる 自分に有利な交際	自信がなく進展しない 気持ちを伝えられない 告白が失敗する
③	仕事運	全力を出して成功を収める ライバル争いの勝利	望む成果が出ずに落胆する 自信のなさが成果を下げる 能力不足
④	金運	自力で高収入を呼び込む 資産運用での成功 高い買い物の成功	先行投資やギャンブルの失敗 収入が少ないための借金生活 詐欺や恐喝に遭う
⑤	その他 健康運	エネルギッシュな心身の状態 身体を鍛える好機	体力気力に欠ける状態 免疫力が下がっている状態

Ⅷ 力 STRENGTH

IX. 隠者
THE HERMIT

　長く白いひげをたくわえた老人である隠者が、一人で夜の山頂に立ち、遠くにいる人にも見えるように、六芒星の光が入ったランプを高く掲げています。上昇する精神を示す上向きの三角形と下降する精神を示す下向きの三角形を組み合わせた六芒星は、完全なる精神性であり、調和されたエネルギーを象徴します。また、隠者が過去や心の内面を象徴する左下を向いていることから、このカードがそうした世界を取り扱うことがわかります。

　ただし、この隠者はただ自分の内面や過去の世界に浸り、思索しているだけではありません。既に得ている悟りを役立てようとランプを高く掲げ、人生に迷う人々の水先案内人の役割を果たしているのです。それでもしっかりと全身を覆った彼のマントは真実を隠し、そうたやすく悟りを披露することはありません。隠者のランプを見つけ、悟りの恩恵にあずかれるのは、やはりそれなりに心の内面や過去の思索を重ねてきた人なのです。

IX 隠者 THE HERMIT

	正位置 のイメージフレーズ	逆位置 のイメージフレーズ
①全体運	内面を見つめる深い精神性 生き方の探求 一人静かに過ごす 過去を振り返る	堅く閉ざされた心 陰湿な性質 孤立した状態
②恋愛運	心で静かに想いを温める 告白できず片想いが続く 過去の恋への執着	愛情や好意を持てない状態 恋愛に縁ができない 異性に壁を作る
③仕事運	動かず静かに計画を温める 静観している状態 適職を探し続ける 引退する	我を通して職場で孤立する 一人で地道にこなす仕事 日の目を浴びない仕事
④金　運	清貧な生活 コツコツと地道に稼ぐ 金銭欲や物欲がない状態	収支共に少ない状態 ケチに徹する お金への嫌悪感
⑤その他 健康運	老人 精神的に悟れた人物 健康に気遣いながらの生活	引きこもった人物 胃腸など内臓の不調 昼と夜が逆転した生活

Ⅹ. 運命の輪
WHEEL OF FORTUNE

　輪は一つのサイクルや、永続的な時間を象徴しています。カードの中央には、宇宙の運動と人生の流転(るてん)を表す大きな輪があり、その中には神の名や錬金術の記号などが書かれ、壮大なスケールであることがわかります。その輪の上には、輪の動きを自由自在に操る者の姿が存在します。その者は判断と決断を司る剣を抱えているため、輪の動かし方には条件や人々の日頃の行いなどが加味されています。しかし、ときには輪の動きを止めたり逆方向へ回転させたりと気まぐれな行動を取り、人々を困惑させてしまうのです。

　輪の底から上に上昇しているのは、エジプト神でジャッカルの頭を持つアヌビス。上から底へと転落しているのは、ギリシャ神話に登場するテュポン。そしてカードの四隅には、旧約聖書のエゼキエル書に登場する、四元素を司る天使(風)、鷲(水)、牡牛(地)、獅子(火)が描かれています。この生物達は最終的な世界への完成に向けて、熱心に勉強をしています。

	● 正位置 のイメージフレーズ	● 逆位置 のイメージフレーズ
①全体運	突然舞い込む幸運 チャンスが訪れる 良い偶然 一時的な幸運や成功	一時的に悪化する状況 一時的な精神的落ち込み 頑張ってきたことを諦める
②恋愛運	運命的な出会い 意外な異性の接近 告白が成功する 急展開する二人の関係	悪化していく二人の関係 諦めムードが漂う 恋に疲れを感じる
③仕事運	突然良い仕事が巡ってくる 良い取引先との出会い 一時的に活躍する	ダウンする仕事情勢 活況のピークを過ぎる 方針を変える必要性
④金　運	宝クジやギャンブルで儲ける 衝動買いが成功する 意外な臨時収入	下がる収入額 宝クジやギャンブルで損をする 衝動買いが失敗する
⑤その他 健康運	試験などの合格 身体の悪かった部分が回復する	試験などの不合格 体調が悪化する 身体に合わない健康法

X 運命の輪　WHEEL OF FOTUNE

XI. 正義
JUSTICE

　このカードは昔から絵柄の変更が少なく、ほとんどのタロットで、柱の間に座った女神が右手には鋭い剣を、左手には天秤を持っている姿が描かれています。ギリシャ神話の女神・アストレイアが地上に残り、欲にまみれた人間達に正義を説き続けたという伝説から、アストレイアがこの「正義」に描かれた女神のモデルであるという説があります。

　このカードの女神は人々の行いを裁く裁判官としての役割を持ち、天秤で人間の罪や徳の重さを量り、そして剣を使ってその罪を裁いたり、不正を正したりするのです。

　また、この女神の視線が天秤でも剣でもなく、左右に曲がることなく真正面に注がれているのは、彼女の知性や心に偏りがなく、公明正大で合理的な視点から判断を下せる人物であることを示しています。そしてその表情には喜びや怒り、悲しみの感情はなく、完全に無表情であるのは、裁判に対して一切の私情を挟まない平等性があることを表します。

XI 正義 JUSTICE

		正位置 のイメージフレーズ	逆位置 のイメージフレーズ
①	全体運	保たれたバランス 合理的な思考と行動 確実な判断力	バランスが崩れた状態 どっちつかずの状態 変わりやすい意見や気分
②	恋愛運	友人関係から抜け出せない二人 恋と無縁の状態 ドライな交際	ハッキリしない恋愛感情 複数の異性の間で揺れる 恋に集中できない状態
③	仕事運	調停役で成功する マニュアル通りに仕事をこなす すべての人の利益を考えて働く	変わりやすい方針 複数の仕事をかけ持つ 仕事への迷いが多い状態
④	金　運	安定した収入 収支のバランスが取れる 値段に見合う品を購入する 堅実に稼ぐ	不定期の収入 収支のバランスが悪い状態 気まぐれの出費
⑤	その他 健康運	裁判で有利となる 規則正しい生活 安定した健康状態	裁判で不利となる 不規則な生活 不安定な健康状態

XII. 吊るされた男
THE HANGED MAN

　この不思議な絵柄のカードは、古来の神秘家達の間で深遠な意味が含まれているのではないかといわれてきました。生きた樹で作られた台に、男性が片足を樹に結ばれて逆さまに吊るされ、全身で卍の形を形成しています。両手は後ろでしっかりと結ばれていて、全く身動きを取ることができません。この状態が続けば死が訪れるのは必至ですが、彼の表情は苦痛に歪むことなく、むしろ恍惚感に溢れていて穏やかです。長い時間吊るされ続けて、激しい苦しみを感じる時間帯を抜け、マラソンのランナーズハイのような気分が高揚する状態へと入っているのです。また、彼の頭に輝く後光は、この苦しみを通して彼が何かを学び取り、深い悟りを得たことを示しています。

　樹がイキイキと葉を茂らせていることから、彼には強い生命力があり、決して死なずに生き続けることがわかります。この刑罰もしくは修業を終えて逆さ吊りから解放された後、新たな幸福が訪れるのです。

		正位置 のイメージフレーズ	逆位置 のイメージフレーズ
①	全体運	実りを得るための試練 犠牲を伴う幸運 忍耐が必要な場面が訪れる	報われない努力や苦労 無駄な犠牲 長く続く困難な状況
②	恋愛運	自分が犠牲になる恋 相手に一方的に合わせる恋 待つ場面が多い恋	尽くし損で終わる恋 動けず途方に暮れる状態
③	仕事運	ハードワークの後の成功 苦境を乗り越える時期	頑張っても報われない状態 適性のない仕事 重労働
④	金　運	報酬を得るのに時間がかかる 節約が幸運を呼ぶ 強いられる清貧な生活	増えない収入と減らない出費 極貧生活を余儀なくされる 借金地獄
⑤	その他 健康運	修業をする 長期の治療や療養が必要 摂食する	監禁状態 なかなか改善しない健康状態 栄養不良

XII 吊るされた男　THE HANGED MAN

XIII. 死神
DEATH

　キリスト教や北欧神話で不吉とされる13番目が、この「死神」のカードです。ストレートに死を連想するその名称から、このカードは一般的には、一番不吉なカードという印象を与えています。

　多くのタロットには、鎌を持ち人々の魂を刈り取る骸骨の姿をした死神が描かれていますが、ウェイト版の「死神」のカードでは、ヨハネの黙示録の第四の騎士がモデルとして選ばれています。死神は白い馬に乗り、生命を象徴するバラの花を描いた黒い旗を手にして、死が近づいている人々の周りをゆっくりと歩みます。馬の前に立つ高僧は合掌し、自ら死を迎え入れようとしています。その他にも王、少女、子どもの姿が描かれ、死は地位や身分に関係なく、誰にでも平等に訪れることを示唆しています。

　遠くに見える二つの塔の間に、不死を象徴する太陽が輝いています。肉体の死は決してすべての終わりではなく魂の解放であり、その後には真の輝かしい未来が待ち受けているのです。

XIII 死神 DEATH

	● 正位置 のイメージフレーズ	● 逆位置 のイメージフレーズ
①全体運	強制終了される 物事の完全な終わり 中止になる	ゼロからの新しい出発 状況が180度変わる 運命の転換期
②恋愛運	異性と完全に縁が切れる スッパリと別れる 全く恋に縁がない状態	新しい縁を求める 愛情や執着が完全に切れる
③仕事運	今の仕事をスッパリと辞める 就職・転職が決まらない 事業が中止になる	全く違う分野への転職 惰性の仕事と縁を切る 新たな才能の開花
④金　運	収入が途絶える 物やお金をなくす可能性 自己破産をする	新たな収入源の発見 今までの収入源を見切る 一攫千金の可能性
⑤その他 　健康運	病気が完治する 重病の人は死の危険性	劇的な回復を見せる 病院を変えて成功する

XIV. 節制
TEMPERANCE

　昔から、「節制」のカードはどのタロットも同じようなデザインで、天使の姿をした者もしくは女性が、壺から壺へと液体を移し替えている様子が描かれています。

　ウェイト版では大天使が壺から壺へと液体を移し替えていますが、それは水や酒ではなく生命素であり、それを動かし続けることによって浄化させ、活性化させているのです。また大天使の胸元には、物質を示す四角形の中に精神を示す三角形が描かれ、この天使が物質面にも精神面にも関与することを告げています。ですから「節制」には「中庸」や「浄化」という意味がありますが、それは心の問題だけではなく、身体という物質を司る健康面にも及ぶと判断できます。

　大天使の足元を満たす澄んだ水と、水辺で生育しているイキイキとした植物が、このカードの純粋で穢れなきムードをさらに高めています。大天使が片足を澄んだ水に浸すことにより、この天使自身も浄化され、穢れなき存在であり続けることができるのです。

XIV 節制 TEMPERANCE

	● 正位置 のイメージフレーズ	● 逆位置 のイメージフレーズ
①全体運	穏やかで従順な流れ 自然の流れに任せる 中庸の状態 浄化される	流れのない淀んだ状況 マンネリ感を味わう 惰性で物事が進んでいく
②恋愛運	相手のペースに合わせ成功 友達関係から発展しない二人	慣れ合いがすぎた交際 トキメキを感じない状態 惰性で交際を続ける二人
③仕事運	無理なく自分のペースで働く 慣れた仕事 変化の少ない仕事	ルーチンワーク 創意工夫が足りない仕事 気合いが入らない状態
④金　運	無理のない節約生活 計画通りの資金運用	小さな無駄遣いが多い その場のムードでお金を遣う 貯蓄できない状態
⑤その他 　健康運	順調な交友関係 心身の疲れや病が浄化される 健康的な食生活	不摂生が悪影響を及ぼす 暴飲暴食

XV. 悪魔
THE DEVIL

　カードの中央に描かれている悪魔は、キリスト教の悪魔の中の一者であるバフォメットがモデルとなっています。大きな角が生えた山羊の頭を持ち、背中には大きな蝙蝠の翼をつけ、猛禽類のような足を持ち、胴体には不格好な肉付きがあります。ペンタグラム（五芒星）は神の力を持ち護符として使われますが、悪魔の額にあるペンタグラムが逆向きになっている点、そして神事や祭りでよく使う松明の火を下げている点は、共に神への冒瀆を示しています。

　この「悪魔」のカードは、「法王」のカードに対応し、類似点が多くなっています。法王は右手を上げて祝福のサインを送っていますが、悪魔は侮蔑のサインを送っています。そして法王の目の前にいた二人の聖職者は、「恋人」に出てきたエデンの園を追われた後のアダムとイブに替えられています。二人がつながれている鎖は緩いものの、この世界に浸かり、逃げようとしません。それだけこの「悪魔」の世界には、多くの誘惑が潜んでいるのです。

XV 悪魔 THE DEVIL

		● 正位置のイメージフレーズ	● 逆位置のイメージフレーズ
①	全体運	堕落した世界の誘惑 抜け出せない甘美な世界 束縛から逃れられない状態	束縛からの解放 肩の荷が下りた状態 悩みが解消する
②	恋愛運	断ち切れない腐れ縁 性的な魅力に取り憑かれる 束縛してくる異性	腐れ縁を断ち切れる 異性の束縛から逃れる 恋への執着心が薄れる
③	仕事運	ハードワークが続く 裏がある儲け話や仕事 苦痛な仕事 辞めたくても辞められない	嫌な仕事から解放される 苦手な職場から離れる しばらくの休業
④	金 運	ローン返済に苦しむ 借金地獄 搾取されて貯まらないお金	借金を完済する 自己破産をする 薄れるお金への執着心
⑤	その他 健康運	悪意のある人物 疲労蓄積が病につながる 性病の危険性	重い病が回復する 不健康なものを断ち切る

XVI. 塔
THE TOWER

　空にも届きそうな高い塔に大きな稲妻が突き刺さり、塔は一瞬にして破壊され、豪華な服をまとった人々が空中に投げ出される……。ひと目見ただけで恐ろしい印象を受ける、衝撃的なカードです。ある程度タロット占いを知る人であれば、「塔」が一番ネガティブパワーの強いカードであることは、ご存知でしょう。

　崩れていく塔の屋根に大きな王冠がついているのは、この塔の所有者が自分達の高い地位を誇示していたことを、また落ちていく二人の服装が豪華であるのは、裕福な生活に浸っていたことを示します。稲妻は神の怒りであり、神が傲慢な人間に、ショッキングな形で気づきを与えたのです。

　一つ前のカードである「悪魔」の怠惰でぬるま湯に浸かったような状態を、この「塔」のカードが一撃し、目を覚まさせる力があります。状況を大きく改革するためには、大きな痛みが伴います。「塔」は逃げ腰になり現状に甘んじる人に、大きな揺さぶりをかけるのです。

XVI 塔 THE TOWER

	正位置のイメージフレーズ	**逆位置**のイメージフレーズ
①全体運	突然襲う崩壊 精神的ダメージを受ける 自尊心をへし折られる	崩れる手前の緊迫状態 突然のトラブルに動揺する 小さなショックを受ける
②恋愛運	異性の予想外の行動 ハッキリと振られる 隠し事がバレる	好きな異性とのケンカ 告白して失敗する 異性の言動に動揺する
③仕事運	突然倒産やリストラに遭う 就職・転職の失敗 大事業の失敗	方向転換を余儀なくされる 倒産やリストラの危険性
④金　運	持ち株がガタ落ちする 大事な物の損壊や盗難 収入源の消滅	大事な物の故障や紛失 報酬額のダウン 大きな買い物の失敗
⑤その他 健康運	事故や災害によるケガに注意 高所での転倒に注意 健康診断を受ける必要性	小さな事故や災害に注意 急な腹痛や頭痛に注意 体調が優れなければ病院へ

XVII. 星
THE STAR

　全体的なデザインは変化しつつも、多くの「星」のカードには古くから、大きな八芒星が天高く描かれています。

　そして小さな七つの星を合わせた、合計八つの星が輝く夜空の下で、若い全裸の女性が二つの水瓶を持ち、一つは海の中へ、もう一つは大地へと、膝をついて水瓶の中の水を注ぎ込んでいます。この水には生命力があり、彼女は海と大地の両方に、純粋で快活なエネルギーを注いでいるのです。

　非常に幻想的な風景であるため、このカードには「希望」や「理想」など、少々現実離れした意味が与えられています。

　この女性は純粋な性質を持ち、永遠の若さと美しさを象徴しています。この女性が嘘や隠し事を持たない純粋無垢な性格であることは、一糸まとわぬ姿であることが証明しています。象徴的に衣服は真実を覆い隠すことを示し、それがないということは、すべてをさらけ出しても恥じることのない、裏表のない精神の持ち主であるといえるからです。

XVII 星　THE STAR

	● 正位置 のイメージフレーズ	● 逆位置 のイメージフレーズ
①全体運	光り輝く理想や希望 ロマンチックな気分に浸る 強い憧れを持つ	理想が崩れて幻滅 悲しみの感情を抱える 希望が叶わない状態
②恋愛運	理想のタイプの異性との出会い 恋に恋している状態 異性に恋心を持たれる	手が届かない異性 悲しみが先行する恋 異性の欠点を見て幻滅する
③仕事運	趣味を仕事にする 憧れの職に向けて前進する 芸術的な仕事への適性	希望の職種に就けない 実力不足を実感する 求職のレベルを下げる必要性
④金　運	収入増加の期待感が高まる 趣味への楽しい投資 買いたい物の発見	期待していた収入を得られない 収入額が下がる 欲しい物が値上がりする
⑤その他 　健康運	美容運の上昇 ダイエットの成功 デトックスで体内を浄化する	美容運の低下 ダイエットの失敗 悲しみが体調を悪化させる

XVIII. 月
THE MOON

　人類にとって太陽と同等に親しみ深い天体である月が、空に大きく描かれています。しかし太陽が陰陽の「陽」や「男性性」を象徴する反面、月は「陰」や「女性性」を象徴します。そのためカード全体のムードは暗く、月の表情もうつむきがちで不安げです。

　池の水面から浮かび上がっているザリガニは、表面に出ては消える獣性を示し、地上にいる犬と狼は、残虐性を示しています。共に夜になると顔を出しやすくなる、人間の本性なのです。

　両脇に建った塔の間には、細く曲がりくねった道がはるか彼方まで続き、未知の世界が待っていることを想像させます。犬と狼は、闇の中で月光だけを頼りに出口へ向かうことに恐れと不安を感じ、空を見上げて立ち尽くしています。

　そんな中で、空に大きく輝き満ちていく月からは、知性のきらめきを持つ雫がしたたり落ち、その下にいる生物達に安らぎを投げかけています。このカードの月は理性と知性の象徴であり、本性を抑えられる唯一のものなのです。

XVIII 月 THE MOON

	●正位置 のイメージフレーズ	●逆位置 のイメージフレーズ
①全体運	中途半端な状態からくる不安 未来への迷いが多い 誤解を受ける 直感や霊感	誤解や不安の解消 スッキリした爽やかな気分 障害が消えて順調に進む物事
②恋愛運	三角関係に巻き込まれる 異性を疑う 不安定な愛情	異性への迷いや誤解が解ける 順調に交際できる二人 本音を話し合える関係
③仕事運	疑問を感じながら働く やりたいことが見えない 中途半端な成果	仕事のトラブルや悩みの解消 淡々と穏やかに進む仕事
④金　運	不安定な収入 詐欺に遭う 計画性のない金銭運用	お金の悩みがない状態 物やお金への執着心が薄い
⑤その他 健康運	不誠実な人物 漠然とした体調不良 胃腸の不調	身体の不調が改善する 特に循環器系の働きが順調

XIX. 太陽
THE SUN

　「月」のカードでも説明したように、太陽が陰陽の「陽」を、月が「陰」を司ります。陽は男性的で能動的。陽光はすべての植物を育てて地球に新鮮な空気を提供しますし、晴れた日に陽光を浴びると、誰もが明るく前向きな気持ちになります。それを示すかのように、どの種類のタロットであっても、「太陽」のカードは明るく将来の希望に満ちたムードが漂っています。

　ほとんどの「太陽」のカードには、さんさんと輝く丸い太陽が、大きく描かれています。その下には、太陽に似た花であるヒマワリが咲いていたり、小さな子どもが楽しく過ごしている姿が描かれていたりします。これから成長して長い人生を歩んでいく子どもには豊かな将来性があり、その存在そのものが、明るい希望に満ちています。

　また、子どもは屈託なくストレートに光を投げかける太陽のように純粋かつ単純で、接する人の心を明るく素直にします。ですから「太陽」のカードには、無邪気な子どもがよく似合っているのです。

XIX 太陽 THE SUN

	● 正位置 のイメージフレーズ	● 逆位置 のイメージフレーズ
①全体運	屈託なく明るい状態 開放感に満ちた状態 夢や願望が実現する	望みが見えない暗黒状態 引きこもり状態 夢や希望が叶わない
②恋愛運	異性と楽しく過ごせる 充実した屋外デート 友情に近い愛情	素直な愛情を持てない状態 異性に心を開けない 相性が合わない異性
③仕事運	日の目を浴びて注目される 成功して有名になる 賞を取る	大きな失敗をする 退職や引退を余儀なくされる
④金　運	思わぬ臨時収入 宝クジやギャンブルで儲ける 楽しい買い物	多額の投資の失敗 カードローン地獄 大事な物の紛失
⑤その他 　健康運	レジャー運が好調 健康を実感する日々 手術や治療の成功	大病をする心配 日光に当たる必要性

XX. 審判
JUDGEMENT

　「審判」のカードのデザインも昔からあまり変わらず、同じテーマを扱い続けています。「最後の審判」という呼称もあるこのカードには、終末思想を持つキリスト教における、最後の審判の光景が描かれています。イエス・キリストが世界の終末に再臨し、すべての死者を蘇らせ、永遠の生命を与える者と、地獄に落とす者とに分けるシーンです。

　カードでは、キリストではなく大天使が空に現れ、キリスト教のシンボルである赤の十字の旗をつけたラッパを吹き鳴らします。その音に合わせて、死者が驚きと恍惚の表情で、次々と墓から蘇っていきます。その中には男性や女性の他に子どもも存在し、死者がどんな人物であっても、平等に最後の審判が行われることを示しています。

　タロットの中で最高のカードの「世界」の一つ手前に置かれたこのカードは、神が存在するかのような、強く崇高な力を秘めています。占いの結果に「審判」が出れば、神の息がかかっている状況であると判断できるのです。

XX 審判 JUDGEMENT

	● 正位置 のイメージフレーズ	● 逆位置 のイメージフレーズ
①全体運	復活の願いが叶う 物事が正しい方向へ進む 良い知らせが入る	神からの警告と罰則 過去の報復を受ける 縁がなく離れていく状態
②恋愛運	諦めていた恋が叶う 曇りのない真実の愛情 絆が深い二人	復縁が難しい状態 素情や性格に問題がある異性 縁がつながらない状態
③仕事運	失敗した事業が復興する 充実感を味わえる仕事 就職・転職の成功	就職・転職が困難な状態 人の役に立たない事業 手抜きをする
④金　運	意外な臨時収入がある 良い収入源が見つかる 給与額が上がる	悪事で儲ける クジやギャンブル運に恵まれない 大きな損害
⑤その他 　健康運	病が回復する 良い健康法が見つかる	体調が悪化する 大病をする心配 転落事故に注意

XXI. 世界
THE WORLD

　最後の大アルカナである「世界」は完成された世界を表し、すべてのカードの中で最強のエネルギーを持っています。

　カードの中央で棒を持ち踊る人物は一見女性ですが、完成された人物であるため、両性具有者であるという説もあります。精神面でのさまざまな修業や経験を積み、悟りの境地を得て達観した、神に近い精神を持つ人物なのです。植物の輪がこの人物を完全に取り囲み、その上下は無限大マークの形のリボンで結ばれています。この輪の中が、この人物にとっての完成された世界なのです。

　カードの四隅には、「運命の輪」に描かれている、エゼキエル書の生物達が再登場しています。「運命の輪」ではまだ勉強中であったのが、ここでの四者は、中央の人物と同様に悟りの境地に辿り着いた状態です。天空の雲に乗り、表情にも恍惚感が漂っています。

　人生の完成には、肉体の死を表す場合もありますが、死後も精神や魂は高みに昇り続けます。それは人間の究極の目標でもあるのです。

XXI 世界 THE WORLD

	正位置 のイメージフレーズ	逆位置 のイメージフレーズ
①全体運	完成からくる幸福感 最良の結果に辿り着く 精神的に成長する	未完成な状態 怠惰に流された状態 枠から出られない状態
②恋愛運	満足感溢れる交際 結婚にまで進む恋 人類愛に近い愛情	穏やかで安穏とした恋 マンネリ感が漂う交際
③仕事運	理想の職業に就ける 満足できる仕事状況 トップクラスの業績	惰性で取り組む仕事 変化しない仕事環境 低めで安定した業績
④金　運	安心できる貯蓄状況 お金より精神面を重視	収入増加が望めない状態 低め安定の経済状況
⑤その他 　健康運	完全な健康状態 ダイエットの成功 精神の高揚が健康にプラスに	慢性的な症状 悪化も回復もしない状態

棒エース
ACE OF WANDS

　のどかに広がる、田舎の田園風景。小さな建物が一軒見える程度で、何もない状態であるといってもよいでしょう。その風景の上の空に小さな雲が湧き出て、そこから１本の棒をしっかりと握った手が突き出しています。その手が男性的な力強さを持っていることは、白く燦然(さんぜん)と輝くオーラが表現しています。そしてその棒からは、今生えたといわんばかりの勢いで無数の小さな若葉が噴き出し、その中の数枚が棒から離れ、勢いよく散っています。この棒は決して枯れているのではなく、まるで一つの命を内包した植物の種のように、豊かな生命力を備えているのです。

　各スートのエースは、四元素の原初的で純粋な、生まれたばかりの状態のエネルギーを示します。その中でも棒が司る火のエネルギーは、四元素の中でも宇宙で最初に登場した、原初中の原初の物質です。ですからこの「棒エース」は、全くの無の状態から何かを生み出す強い創造力を持っているといえます。

棒エース　ACE OF WANDS

	▌正位置 のイメージフレーズ	▌逆位置 のイメージフレーズ
①全体運	創造的なエネルギー 無から生まれる何か 未体験に取り組み成功	完全な終了や破滅 始めたことが失敗に終わる 完全に失せる意欲
②恋愛運	情熱的な行動が恋を成就させる 大胆な告白が成功する 運命の出会い	完全に冷める情熱 完全に終わる交際 出会いをつかめない
③仕事運	起業や独立が成功する 新しい事業の順調なスタート	大事業が失敗に終わる 起業や独立ができない状態 就職や転職の失敗
④金　運	新しい収入源を得られる ギャンブルで大勝する 大きな買い物の成功	大きな収入源を失う ギャンブルで大金を失う
⑤その他 健康運	体力気力に満ち溢れた状態 自分に合った健康法	体力気力が枯渇している状態 なかなか回復しない健康状態

棒2

II OF WANDS

　海岸に近い城の屋根に、一人の男性が背を向けて立ち、広がる景色を眺めています。1本の棒は壁にくくられ、もう1本の棒は手に持ち、まるで門に見立てたように、その2本の間に立っています。良質の衣服に身を包み、高価な帽子をかぶった彼は、社会的・経済的に成功している人物です。そして彼が眺めているのは、自分が手にしている領土なのです。しかし決して楽をしてこの領土を手に入れたのではなく、さまざまな物事を犠牲にしてきました。その結果、物質的には豊かになりましたが、彼の心は幸福感には満たされていません。どこかうら寂しさがあることは、孤独感が漂う背中が語っています。

　大アルカナの「皇帝」と同じように、彼は右手に小さな地球を抱えています。これは、この領土では飽き足らず、世界の制覇を夢見ているためです。彼は豊かになっても満足できず、さらなる社会的成功を追い求めています。そしてまだ若く駆け出したばかりの彼は、その野望を着実に現実のものとしていくのです。

	● 正位置 のイメージフレーズ	● 逆位置 のイメージフレーズ
①全体運	犠牲の上に成り立つ成功 未来への野心を燃やす 目標に向かう推進力	突然起こる驚く出来事 予測していなかった事態 予定が急変更になる
②恋愛運	恋愛より仕事に燃える異性 受け身の異性 玉の輿に乗るチャンス	自分か相手が心変わりをする 相手に受け入れてもらえない
③仕事運	努力を重ねて出世する 小さな目標を達成する 成功に向けて野望を持つ	予定や目標が変更になる 出世欲を持てない状態 投げやりな仕事
④金　運	能力が認められて昇給する 大きな臨時収入を得る 成功のための有意義な投資	先を考えずに浪費する 給与額の変更 期待していた収入がない
⑤その他 　健康運	健康管理をキチンとする 健康診断を受ける 的確な治療法 順調な回復	手抜きの健康管理 健康を度外視した生活 体調が急変する

棒3
III OF WANDS

　落ち着きと威厳のある男性が岬の端に立ち、こちらに背を向けて、目の前に広がる海原を静かに眺めています。陽光で明るく輝く海原には、大きく帆を張った貿易の船が何艘も航海しており、それぞれ豊富な量の荷物を積み込んでいます。男性の周りには3本の棒が立てられ、彼はその中の1本に軽く触れて、海を渡る複数の船に見入っています。

　これらの船と船の積み荷は、すべてこの男性の所有物です。彼は商業で手腕を発揮し、ここまで大きく自分のビジネスの範囲を広げてきました。しかし、彼は決してこの状態で満足しているわけではありません。今の成功はまだ序の口であり、未来はさらに商売の発展を重ねて、ますます明るく幸福に満ちたものになるということを確信しています。実際に親切で協力的な彼は、今後も人望や人脈を得て、商売を着実に拡大していくのです。

　「棒2」では背中に哀愁を漂わせていましたが、「棒3」の男性の背中はシャンと伸び、未来への希望に溢れています。

● 正位置・逆位置
のイメージフレーズ
(「棒3」は正逆共に同じフレーズとなります)

① **全体運** ▎ 明るい未来への期待
　　　　　　　発展的な未来
　　　　　　　高まる夢の実現への希望

② **恋愛運** ▎ 交際に発展する希望が見えてくる
　　　　　　　恋人と二人の将来を話し合う

③ **仕事運** ▎ 将来性のある仕事
　　　　　　　次第に発展していく仕事
　　　　　　　成功の兆しが見える
　　　　　　　貿易に関すること全般

④ **金　運** ▎ 徐々に増えていく収入額
　　　　　　　目標額に近づく貯蓄
　　　　　　　有意義な未来の金銭運用計画

⑤ **その他　　** ▎ 健康回復の兆しが見える
　健康運　　　順調に進む健康・体力作り

棒 4
IV OF WANDS

　前景に非常に長い4本の棒が立てられ、その上には豪華な花輪が結びつけられています。これはお祭り会場のような華やかな門となり、訪れた人達を温かく迎え入れてくれます。この門の奥には堀にかけられたアーチ状の橋があり、その橋は遠くに見える古い大邸宅につながっています。

　門に近づいてきた訪問者を発見すると、花束を大きく振って歓迎の姿勢を示しながら、二人の女性が門の方へと向かってきました。訪問者は、長旅の途中で宿を求めている人物の場合もありますし、激しい戦闘から戻ってきた戦士の場合もあります。彼らはこの花の門の先で一休みをして、平和な時間を過ごし、疲れを癒すことができるのです。

　しかし、彼らがここに滞在できるのはあくまでも一時期であり、またハードな長旅や戦地へ戻らなければなりません。それでもこの地で癒されたという温かい思い出は、彼らの心をこれから長く、支え続けてくれるのです。

正位置・逆位置
のイメージフレーズ
(「棒4」は正逆共に同じフレーズとなります)

①全体運
- 平和な休息時間
- 心温まる楽しいひととき
- 純粋で無邪気な感情

②恋愛運
- 異性と平和な時間を共有できる
- 自然の流れで両想いになる
- 結婚の話が順調に進む

③仕事運
- 周囲と楽しく取り組める仕事
- 和気あいあいとした職場
- イベント性の高い仕事

④金　運
- 楽しい買い物やグルメ
- 服飾品や美容品の購入の成功
- 散財傾向が強い

⑤その他 健康運
- 良好な美容運
- 問題ない健康状態
- 美食に走る傾向あり

棒 5
V OF WANDS

　思い思いの衣装を着た若い武装隊が平地に5人集まり、それぞれ1本ずつ長い棒を持ち合って、まるでスポーツをしているかのように振り回し、ぶつけ合っています。これは本気で戦っているのではなく、戦争の模倣であり、実際に戦争を行うための訓練でもあります。

　そのため本当の戦争に比べれば命の危険性はないのですが、皆表情は真剣です。始める前には、このスポーツを楽しむような遊び心があったとしても、実際に5本の長い棒をぶつけ合っているうちに、この訓練が予想以上の労力を使うことに気づいたのです。5人の力が均等であるため、たとえ模倣であっても戦いの状況に変化が表れずに悪戦苦闘し、長時間続けても勝者と敗者の結論が出ない状況に、不毛さも味わっています。それでもこの戦争の模倣を中止するキッカケをつかむことができません。いつ終わるかもわからない戦いに、身を投じ続けるしかない状態なのです。

	正位置のイメージフレーズ	逆位置のイメージフレーズ
①全体運	結論の出ない争い 形にならない努力 やることが多くパニック状態に	混乱を極めた状況 混乱した精神状態
②恋愛運	激しいライバル争いが続く 恋を頑張っても結果が出ない 異性の態度に動揺する	異性のワガママに翻弄される 無駄な労力を使う交際 熾烈（しれつ）なライバル争い
③仕事運	ハードワークが続く まとまらない交渉事や会議 社内での意見の対立	頑張れば頑張るほど混乱する 努力の方向が間違っている 実りのない仕事
④金　運	働いても増えない報酬 細かい経費が多い状態 出入りが多い金銭状況	細かい出費がかさむ 努力のわりに少ない報酬 お金のことで揉める
⑤その他 健康運	無駄な健康法 体力を消耗する	神経痛など痛みのある症状 原因不明の病気

棒 6
VI OF WANDS

　戦いで勝利を収めた騎士が馬に乗り、多くの従者を引き連れて、帰還の途についています。騎士は勝利と栄光の象徴である月桂樹の王冠をかぶり、もう一つの月桂冠は手につかんでいる棒に結びつけて高々と掲げ、道行くすれ違う人達に、自軍の勝利をアピールしています。背筋をピンと伸ばした騎士が醸し出すムードは誇らしげで堂々としていて、まさに勝者としての風格を携えています。従者は皆、馬に乗らずに徒歩で指導者の騎士に付き添っていますが、その表情はやはりこの勝利に満足げで活気があり、意気揚々と手にした棒を高く掲げて歩いています。唯一、騎士が乗る馬だけが、この勝利者達に不満げな視線を投げかけています。

　生まれ育った故郷に辿り着いた後、騎士と従者はその月桂冠を掲げたまま、街を凱旋して故郷に錦を飾ることになります。故郷の人達もその偉大なる勝利の知らせに歓喜し、街をあげて勝利の祝福と美酒に酔いしれるのです。

		正位置 のイメージフレーズ	**逆位置** のイメージフレーズ
①	全体運	誇らしい勝利 自尊心が満たされる出来事 尊敬される	敗北からくる劣等感 屈辱感を味わう出来事 自信を持てない状態
②	恋愛運	努力の末に両想いになる ライバル争いに勝利する 魅力的な異性と恋をする	ライバル争いに負ける 劣等感が恋の成功を遠ざける 相手の言いなりになる交際
③	仕事運	仕事の成績が上がる トップクラスの成績を収める 職場で表彰される	自尊心のなさが足を引っ張る 思い通りの結果を出せない 敗北感を味わう
④	金 運	大幅に昇給される ギャンブルで勝つ 何かの賞金が入る	減給になる心配がある ギャンブルで大敗する お金を脅し取られる
⑤	その他 健康運	スポーツ運が良好 体力がアップする	体力がダウンする スポーツなどでケガをする心配

棒 7
VII OF WANDS

　険しい岩の上に乗っている若者が長い棒を振り回し、岩の下にいる敵と戦っています。下からは6本の棒が彼に向って突き出され、一人で6人の敵を相手にしていることがわかります。そんな過酷な状況の中でも決してうろたえることなく、果敢に敵に立ち向かっていくこの若者は、それだけ勇敢な性格を持っているのです。

　その敵の多さから、一見彼にとって不利な戦いのように見えますが、決してそうではありません。6人の敵は彼から見るとかなり低い位置にいて、彼がいる岩の上まで登ってくることができません。そのためたとえ一人で6人を相手に戦うのであっても、高い位置を守り続けることができる彼の方が断然有利な戦いであるといえるのです。

　常に6本の棒を振り払わなければならない彼は、苦難の中にいるように見えます。しかし有利な立場を譲る可能性がないことから、これは成功を示すカードといえます。その成功には、討論や交渉事など知的な場面のものも含まれます。

		正位置 のイメージフレーズ	逆位置 のイメージフレーズ
①	全体運	有利な立場にいる戦い 困難に向かい果敢に戦う 邪魔者を打ち負かせる	意欲を喪失し優柔不断 不利な状況での戦い 敵が多い状態
②	恋愛運	ライバル争いで有利に展開 複数の異性が接近してくる 交際をリードする	恋の努力に疲れを感じる 中途半端な恋愛状況 気力が出ない恋
③	仕事運	意見が認められる 困難を克服して成功する 忙しくもやり甲斐ある仕事	忙しすぎて辟易(へきえき)する 中途半端な労働意欲 思うように出せない成果
④	金　運	努力で報酬額アップ 浪費をシャットアウトできる	細かい浪費が多い状態 ずさんな金銭管理
⑤	その他 健康運	スポーツで好成績を出せる 運動などで身体を鍛えられる	体力がなく疲れやすい状態 小さな体調不良が多い

棒8

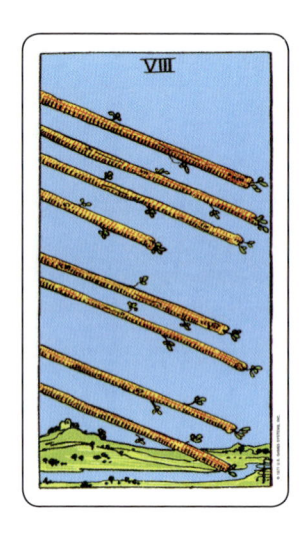

VIII OF WANDS

　殺風景で開けた田園風景が広がり、その上の快晴の空を、8本の棒がまるで生き物のように、左上から右下に向かって飛行しています。その8本の棒は、決してただ闇雲に飛んでいるわけではなく、規則正しい間隔を守りつつ、自分達のコースに忠実に飛んでいるのです。これは動きのないものの中を通り、静けさを打ち破るものの象徴であると解釈できます。実際にこの棒が空を飛ぶことにより、時間が止まったようにシンと凍りついたこの田園風景の空気に、瞬時に大きな流れを引き起こしているのです。

　その8本の棒が飛ぶスピードは、まるで射られた矢のように、目にも止まらぬほどの速さです。その迅速さを人間にたとえると、まるで速達配達人のようです。ですからこのカードが占いに出ると、間髪を置かないほどの近いうちに、固まった状況を瞬時に打ち崩すような出来事が起こると判断できます。変化はすぐ目の前に迫っていることを告げているのです。

	● 正位置 のイメージフレーズ	● 逆位置 のイメージフレーズ
①全体運	スピーディーな変化 すぐに生じる動き 間もなく出る結果	スローな動きで遅れ気味 徐々に消えたり離れたりする 強い嫉妬心
②恋愛運	偶然から一気に進展する 急展開する恋 突然入る異性からの連絡	徐々に距離が開いていく二人 少しずつ冷める愛情 強い嫉妬心
③仕事運	すぐに仕事に取りかかる 素早く進められる仕事 間もなく入る仕事の連絡	ゆっくりと進められる仕事 周りの妬みが足を引っ張る
④金　運	すぐに入る報酬 素早く済む買い物 クジにツキあり	遅めに入る報酬 徐々に減る手元のお金 ギャンブルでの損失
⑤その他 健康運	スピーディーに回復する体調 すぐに終わる治療	なかなか回復しない体調 時間がかかる治療

棒9
IX OF WANDS

　体格の良い男性が、自分が持つ長い棒を杖にして寄りかかり、警戒心と期待を込めた目で遠くを見つめています。彼は敵が攻撃してくるのをジッと待っているのです。

　そして彼の背後には、まるで防壁を築いているかのように、8本の棒が規則正しい間隔を持ち整然と立てられています。彼は少しでも戦闘のダメージを抑えようと、時間をかけて慎重に、この棒を並べました。それだけ攻撃してくる敵の勢力が強く、勝利を手に入れるには手強い相手だということです。

　防御の準備は万端に整い、後は実際に敵が姿を現すのを待つだけの態勢です。体格が良く闘争心のある彼は、敵が攻撃してきても簡単に攻め落とされることはなく、強い抵抗力で自分自身と味方を守り続けることができます。そして身を守り続けた後は、敵に猛反撃を食らわせることができるのです。「攻撃は最大の防御」という言葉の、まさに逆の状態を示しているカードです。

棒9 IX OF WANDS

	正位置のイメージフレーズ	**逆位置**のイメージフレーズ
①全体運	困難に備えて準備する 守りを固めた状態 物事の動きが遅れ気味になる	慎重すぎて動けない状態 困難から抜け出せない状態 物事の大幅な遅れ
②恋愛運	慎重すぎて進展しない恋 異性の前で心の壁を崩せない 待つ時間が長い恋	障害が二人の邪魔をする 強い警戒心が恋の進展を阻む 近づくチャンスがない
③仕事運	大仕事に備えて準備する 時間がかかる仕事の完成 慎重に進める仕事	枠の中から抜け出せない仕事 閉塞感のある仕事状況 予定よりも遅れる仕事
④金　運	節約意識が高く出費を惜しむ がっちりと貯金をする	財布の紐が固くケチになる 低賃金から抜け出せない
⑤その他 健康運	健康法を駆使して身体を守る 運動不足の傾向	回復の兆しを見せない 血液の循環の悪さ 運動不足や栄養不良

棒 10

X OF WANDS

　男性が一人で 10 本の長い棒を抱え込み、それらを徒歩で目的地まで運んでいます。その 10 本の棒は非常に重く、まるで押しつぶされるかのように彼の背中は大きく折れ曲がり、その上に抱えている棒が邪魔をして、前をよく見ることもできません。棒を運ぶことにより心と身体が受けている重圧感は、相当なものです。目的地は次第に近づいていますが、周りには運搬を手助けしてくれる人は誰も見当たりません。

　小アルカナの各スートの 10 は、「四元素が完成された状態」を示し、棒は情熱や名声を追う精神を象徴します。そのためこの「棒 10」のカードは、情熱と向上心に身を任せて進んだ結果、栄光や名誉を手に入れた状態であり、その栄光や名誉が 10 本の棒で表されているのです。このカードには、それに伴う重圧感が描かれています。彼が運んでいるものは立派なものであるにも関わらず、それが重圧を生み出す上に、それを運び込んだ場所に困難を生じさせる危険性もあるのです。

棒10 X OF WANDS

	● 正位置のイメージフレーズ	● 逆位置のイメージフレーズ
①全体運	激しい重圧感 限界ギリギリのノルマ 目標達成のために伴う負担	任務を途中で投げ出す 我慢の限界がきて放棄する 策略や陰謀を計る
②恋愛運	自分の方に負担がかかる交際 我慢する場面が多い恋 一人で抱え込む想い	恋に疲れを感じて投げ出す 堪忍袋の尾が切れる 恋の努力を放棄する
③仕事運	成功や名誉に伴う重圧 オーバーワーク 一人で抱え込む大仕事	限界を超えた仕事量 策略や陰謀で取り組む仕事 責任を放棄する
④金　運	苦労するローンや借金の返済 分不相応な買い物をする	ヤケになり散財する 不正をして儲けようとする
⑤その他 　健康運	疲労が蓄積している健康状態 睡眠不足	ヤケになり不摂生をする 健康管理を放棄する

棒ペイジ
PAGE OF WANDS

　火の精霊であるサラマンダーの模様が描かれたチュニックを着た少年が、次のカードの「棒ナイト」と似たピラミッドが見える灼熱の土地で、棒を使って何かの布告を行っています。品のある丸い帽子には、情報や言葉の象徴である鳥の羽根を飾り、全身は濃いオレンジ色と黄色という、陽光のような明るいカラーで統一されています。騎士の見習いであると同時にメッセンジャーの役割も持っているこの少年は、決して世間で有名ではなく目立ちませんが、忠実で真面目な性格を持つ、信頼すべき人物です。

　彼が主君や上司に伝える情報やニュースは、相手にとって好意的で、喜ばせるものが多いのです。そして予想外で風変わりな内容もあり、ときには相手を驚かせることもあります。

　棒のスートは未来への情熱や名声を司りますから、彼が運ぶ情報は、未来や出世に関する内容が多くなります。そしてその情報を運ぶ彼自身も、心の奥には情熱を隠し持っているのです。

棒ペイジ　PAGE OF WANDS

	● 正位置 のイメージフレーズ	● 逆位置 のイメージフレーズ
①全体運	良い知らせが届く 電話やメールでの交流 信頼できるアドバイス	悪い知らせが届く アテにならない情報 情報不足の状態
②恋愛運	恋に関する良い知らせ 異性から嬉しい言葉を聞ける 気持ちを伝えられる	恋に関する良くない知らせ 異性の嫌な噂を聞く 気持ちを伝えられない
③仕事運	仕事に関する嬉しい話が入る 仕事に役立つ情報を入手	仕事に関する嫌な話が入る 必要な情報が得られない
④金　運	嬉しい臨時収入がある 宝クジや懸賞の当選 株など投資の成功	予想外の出費がある 宝クジや懸賞の落選 株など投資の失敗
⑤その他 健康運	試験などの合格 良い健康法を知る 健康に関する嬉しい知らせ	試験などの不合格 間違った健康法 健康に関する悪い知らせ

棒ナイト
KNIGHT OF WANDS

　荒れ狂いながら猛スピードで走る馬に乗った騎士が、灼熱の地に立つピラミッドの前を次々と通過していきます。この騎士は旅をしている最中で、目的地への到着を急いでいます。馬の走りは乱暴で激しい振動がありながらも、進行方向を見つめる彼の表情は冷静です。

　各スートのナイトは、乗っている馬の表情が騎士の性質や感情を示しています。ですから彼は無表情ではあっても、性格は荒れ狂う馬のように性急で、燃える感情に身を任せて動く、闘争的な人物なのです。また、かなり慌てて馬を走らせていると判断できます。

　騎士は短い棒を掲げて鎧に身を包み、完全武装をしています。そしてその上に、火の精霊のサラマンダーがプリントされた衣装をかぶり、炎に似た装飾を施し、彼が燃える火のような人物であることを強調しています。しかし、彼が向かうのは戦場ではありません。住む場所を変えるために、移動をしているのです。

	正位置のイメージフレーズ	**逆位置**のイメージフレーズ
①全体運	未知の世界への出発 目的達成のための前進 突然変わる生活 住居の変更	突然の分離や中断 突然の出来事に動揺する 何かから急速に離れる
②恋愛運	積極的に接近してくる異性 スピーディーに展開する恋 衝撃的な出会い	自分から離れていく異性 二人の心が分離する 急速に冷める情熱
③仕事運	目標達成に迅速に近づく 未知の仕事に挑戦する	仕事が急に中断になる 急な異動を余儀なくされる 突然仕事を辞める
④金　運	出費額を気にせず行動する 欲しい物をすぐに入手する	急な臨時の出費がある ギャンブルでの散財 支出が収入を上回る
⑤その他 　健康運	活発な旅行運 スポーツの充実や勝利 体力に満ち溢れる	突然変化する体調 乗り物やスポーツでのケガ

棒ナイト　KNIGHT OF WANDS

棒クイーン
QUEEN OF WANDS

　各スートのクイーンの中で、この「棒クイーン」は一番男性的な性質を持っています。

　足を大きく開いて椅子に座り、凛とした目線は向上した未来を示す、右上へと向けています。そして右手で長い棒をつかみ、左手には真夏に咲く花であるヒマワリを持っています。合理性を示す角ばった台座の上方には、四元素の火を司るエゼキエル書の生き物である獅子が描かれ、そして下方には二つの獅子が彫刻されています。ヒマワリも獅子も、この女王が真夏の太陽のように情熱的で、目標に向かって邁進していくジッとしていられない性質を持つことを強調しているのです。

　彼女は女王であっても愛らしくて親しみやすく、まるで田舎に住む女性のようです。飾り気のないその男性的な性格が、多くの人を魅了しています。

　また、この棒のスートに描かれているすべての棒には、小さな葉が生えています。これは棒が決して枯れているのではなく、生命力に溢れていることを示しています。

棒クイーン　QUEEN OF WANDS

	● 正位置 のイメージフレーズ	● 逆位置 のイメージフレーズ
①全体運	■ 情熱に身を任せた行動 野心や向上心を燃やす 明るく寛大なムード	■ 強欲で横柄な態度 自己中心的でワガママになる 協調性のない行動
②恋愛運	■ 女性側がリードする恋 恋より仕事や趣味を選ぶ女性 華やかに燃える愛情	■ 女性側がワガママに振る舞う恋 第三者の女性が恋の邪魔をする 暴走しやすい情熱
③仕事運	■ 女性の力が大きい仕事 楽しいムードの仕事や職場	■ 特定の女性に乱される 感情的に進める仕事
④金　運	■ 遊びやオシャレへの投資 収入増加を成功する	■ 気が向くままに浪費する 贅沢でお金が貯まらない
⑤その他 　健康運	■ 明るく開放的な女性 男性並みに野心のある女性 朗らかな精神が健康体を築く	■ 自己中心的な女性 感情的で高血圧気味

棒キング
KING OF WANDS

　性別は違いますが、前の「棒クイーン」のカードと似た性格を持つ王が描かれています。熱意があり未来をより良くするための向上心を持ち、柔軟な行動力を兼ね備え、深く思考する前に動き出すような、フットワークの軽さがあります。また「棒クイーン」が庶民的性格だったのに対して、彼にはそれにプラスして王としての気品が備わっています。

　すべてのスートのキングがそうですが、彼は王冠の下に、儀式に用いる式帽と呼ばれるものをかぶっています。王座には、四元素の中の火のシンボルである獅子と、自分の尾を噛み丸くなった火の精霊のサラマンダーが描かれ、足元にも1匹のサラマンダーがおり、灼熱の地にいるこの王が、炎のように燃える性質を持つことを強調しています。王座と共にマントにも無数に描かれたサラマンダーが、ウロボロスの蛇のように輪になっているのは、彼が延々と霊的な成長を求め続ける人物であることを示しています。

棒キング　KING OF WANDS

	▌正位置 のイメージフレーズ	▌逆位置 のイメージフレーズ
①全体運	未来への情熱を持った行動 行動を通して未来を切り開く リーダーシップ	横柄でワンマンな態度 自信が傲慢さを呼ぶ 自己中心的な行動
②恋愛運	男性側のリードで進展する恋 情熱的に燃え上がる恋 結婚へと進む恋	男性側がワガママに振る舞う恋 一方的な交際 喧嘩や口論が多い二人
③仕事運	自由闊達に動き成果を収める スピーディーに出世する 周りを引率する	特定の男性に乱される 歩調が合わない上司 感情に任せて働く
④金　運	実力で報酬額アップをつかむ 良い買い物ができる	気が向くままに浪費する 贅沢でお金が貯まらない
⑤その他 　健康運	野心と行動力を持つ男性 体力がありエネルギッシュな状態 情熱的な精神が健康体を築く	横柄で協調性のない男性 無頓着な健康管理 欲望に任せて不摂生をする

金貨エース
ACE OF PENTACLES

　小アルカナの中で、エースは一番強いエネルギーを持ちますが、そのエースの中でもこの「金貨エース」は一番強いパワーを持ち、占った時に正位置で出ても逆位置で出ても、注目するに値します。

　他のスートのエースと同様に、雲の中から白いオーラが輝く力強い手が突き出ていて、大事そうに五芒星が掘られた金貨を抱えています。この五芒星はひと筆書きができて切れ目がないことから、昔から悪霊を入らせない魔除けの力があると信じられてきました。そのため五芒星が掘られたこのペンタクルは、護符としての働きを持つとされています。

　金貨を抱える手の下には、人間によって手厚く管理された美しい花園が広がり、「魔術師」や「棒2」にも描かれていた赤いバラと白い百合が登場しています。バラでできた門のはるか先には山脈が見え、空気が澄んだ豊かな土地であることがうかがえます。このカードのテーマは「物質的な豊かさ」であるため、この花園の持ち主は裕福なのです。

金貨エース ACE OF PENTACLES

	▶ **正位置** のイメージフレーズ	▶ **逆位置** のイメージフレーズ
①**全体運**	大事な宝物の入手 大きな価値のあるもの 自分への大きなメリット	大事な宝物を失う 多くの物を失う 深い喪失感
②**恋愛運**	玉の輿に乗る 理想の異性と恋愛関係 物質的メリットのある交際	真剣だった恋を失う可能性 異性に貢ぎ損をする お金のかかる交際
③**仕事運**	やりたかった仕事を任される 報酬額の大きな仕事 社会的に価値のある仕事	進行中の事業が中止 大きな損害を生む仕事 仕事を辞める
④**金　運**	大金が転がり込む 欲しかった物を入手する 高価な物を手に入れる	一気に大金を失う 大きな収入源を失う 財布や貴重品をなくす心配
⑤**その他** 　**健康運**	頑健な身体を持つ 良い医者や病院と縁がある	病などで健康状態が崩れる 治療費がかかるが回復しない

金貨2
II OF PENTACLES

　道化師のようにおどけた格好をした若者が、2枚の金貨を手にして楽しそうに踊っています。その2枚の金貨は数字の8のようにねじった、切れ目のない紐に結びつけられています。この紐は無限大のマークを形成し、若者のこの楽しい遊びが延々と続いていくと想像できます。

　しかし、この若者が遊び続けられるような恵まれた環境にいるのかというと、決してそうではありません。彼の背後には波風で荒れ果てた海が広がり、2隻の船が大波に翻弄されて遭難しかけているという、非常に緊迫した状況です。そしてダンスに夢中になり、手にした金貨ばかりを見つめている彼は、海が荒れていることにすら全く気がついていないのです。

　娯楽や陽気さは必要なものですが、そればかりを追い求めていると、危険や困難が迫っていることを見落としてしまいます。楽しいムードを意味する反面、それに伴った犠牲もあることを忘れずに、と伝えているカードなのです。

	正位置のイメージフレーズ	**逆位置**のイメージフレーズ
①全体運	気晴らしの楽しい出来事 軽いノリの遊び 二つのことを同時に手がける	軽薄で意味のない遊び 一時的な快楽を求める 気が多く集中できない 変わりやすい気分
②恋愛運	軽いノリの楽しい恋愛 刺激だけを求める交際 二股をかける	複数の異性が気になる状態 実りのない軽い交際 遊びから抜け出せない恋
③仕事運	会話の楽しい職場 雑談で集中できない	雑念で本腰が入らない 定職に就けない状態 フリーアルバイター
④金　運	楽しいショッピングやグルメ 適度に散財する 収入と支出のバランスが取れる	小さな浪費を重ねる ずさんな金銭管理 自転車操業の状態
⑤その他 健康運	良好なレジャー運 バランスの取れた健康状態 飽食の傾向	レジャー運は高め 暴飲暴食の傾向 不安定な体調

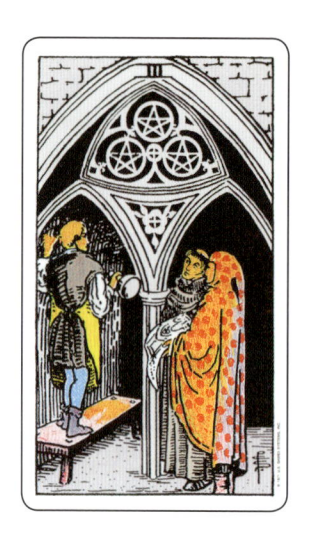

金貨3
III OF PENTACLES

　3枚の金貨がステンドグラスのように並んだ修道院で、彫刻家が仕事をしています。仕事を依頼している側の人物が彫刻の設計図を開き、左にいる彫刻家がその設計図にライトを当てて、図柄を確認しています。

　ここに描かれているのは、「金貨8」の段階ではまだ見習いだったものが、長年の修業と経験を積み続け、今や専門家として報酬を得て活躍している彫刻家の姿です。腕前も見習いの頃に比べるとすっかり熟達しましたが、彼は決してそれで満足したり得意げになったりすることなく、さらなる実力の向上を目指して日夜努力を重ねています。そのため非常に仕事熱心で、仕事の依頼者から信頼されているのです。

　ですからこのカードが占いに出ると、熟練した能力や腕前という意味があると同時に、向上を目指して勉強熱心であったり、努力家であったりすることも示しています。カード自体は地味ですが、より良い未来を築くために欠かせない要素を持っています。

	正位置 のイメージフレーズ	逆位置 のイメージフレーズ
①全体運	熟練を目指し腕前を磨く 向上を目指し努力を重ねる 真面目に勉強する	凡庸から抜け出せない状態 努力するのが億劫になる 自分磨きを怠る
②恋愛運	恋の地道な努力が実る 地味でも誠意のある交際 連絡する回数が増える	投げやりな交際 自然消滅へ向かう恋 進展のキッカケをつかめない
③仕事運	真面目に任務を遂行する 高い技術や腕前を発揮する 勤勉になる	任務を遂行するのを怠る 才能を発揮しにくい仕事 能力のなさを実感する
④金　運	金銭の運用計画を立てる コツコツと貯金する 徐々に増える報酬額	頼りない報酬額 なかなか増えない報酬額 無計画にお金を使う
⑤その他 　健康運	健康のための質素な生活 栄養バランスを考える	体力気力に欠ける状態 栄養不良気味 健康を無視した生活

金貨3　Ⅲ OF PENTACLES

金貨4
IV OF PENTACLES

　王冠をかぶり豪華な衣装に身をまとった高い位を持つ人物が、彼の所有物である4枚の金貨を大事そうに守っています。その中の1枚は王冠の上に乗せ、1枚は胸の前で両腕を使ってしっかりと抱え込み、1枚は左足で、もう1枚は右足で踏みつけています。それだけ彼が、自分の地位や財産への執着心を強く持っていることを示しています。

　物質を示す四角形の台座に座っている彼の背後には、高いビルが多い発展した街が広がっています。この人物はこの街を治める君主であり、経済的に満たされていて裕福な生活を送っているのです。それでも金貨1枚でも手放したくないという強欲さは、強まっていくばかりです。

　しかし、他の誰もがその金貨に触れることができない代わりに、金貨を抱えた彼自身も、自由に身動きを取ることができません。持っている物への激しい執着心が、金貨だけではなく彼自身をも縛りつけている状態であるといえます。

金貨 4　IV OF PENTACLES

	● 正位置 のイメージフレーズ	● 逆位置 のイメージフレーズ
①全体運	所有している物への執着心 欲張りな精神状態 自分のメリットだけを考える	強欲で持ち物を増やしたがる ケチな精神状態 物事が一時停止する
②恋愛運	好きな異性への執着心 束縛したりされたりする交際 複数の異性を確保する	執着心が嫉妬や不満を呼ぶ 必要以上に相手に執着する 複数の異性の愛を求める
③仕事運	自分の仕事に執着する 自己流のやり方にこだわる 協調性に欠ける状態	現状に執着して発展しない仕事 投資を惜しむため進歩しない 仕事が多すぎる状態
④金　運	自分のお金や物に執着する 順調に殖える貯蓄額 貯め込み活かせないお金	無駄に物を増やそうとする 貯蓄に執着する 動きのない金銭状態
⑤その他 健康運	変化の少ない健康状態 運動不足と食べすぎの傾向	なかなか改善しない健康状態 暴飲暴食の傾向 血流が悪い状態

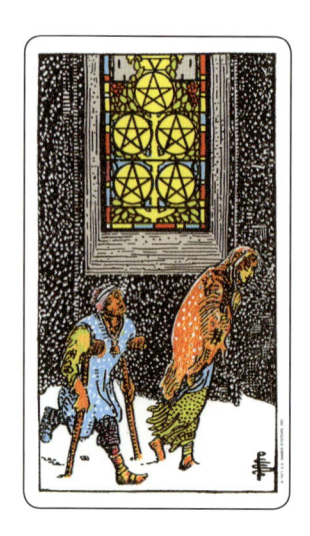

金貨 5
V OF PENTACLES

　住む場所のないほど貧しい男女二人が、夜の暗い吹雪の中を、裸足で黙々と歩いています。一人は痩せ細り、もう一人は足にケガを負っていて、かなり生活が困窮している様子がうかがえます。通りすぎる建物には、ステンドグラスが美しい明々とした窓がありますが、この二人はその建物の中に入ることはできません。虚ろに前方を見つめる二人は、その窓があることにすら気づいていないのです。

　究極の貧困の状態を描くこのカードは、精神的な面を示す場合もありますが、他の金貨のカードと同様に、基本的にはお金や物、健康などの物質的な困窮や困難を示すカードです。夫婦のような男女が描かれているこのカードに、遠い過去には「愛」や「恋人」などの意味が与えられたことがあります。しかし究極の物質的な貧困は、愛が持つ精神的な温かさや余裕さえも奪ってしまいます。ですから結局は、精神的な貧困にもつながるカードでもあるのです。

	正位置のイメージフレーズ	**逆位置**のイメージフレーズ
①全体運	何もなく空虚な状態 心がスカスカで虚しい状態 夢や希望が見えない状態	混乱して見通しが立たない 気が動転する 進む方向が見えなくなる
②恋愛運	愛情が感じられない虚しい恋 愛情を持てない状態 全く恋愛に縁がない状態	相手の心をつかめない状態 混乱して実りのない恋 空回りばかりの恋
③仕事運	無職の状態が続く 労働意欲が皆無の状態 やり甲斐のない仕事	周囲の状況に振り回される 何をしてよいかわからない状態
④金運	究極の貧困状態 明日の食べ物にも困る状態 収入を得られない	経済的な混乱状態 財政上に変動がある メリットのない変化
⑤その他健康運	栄養失調気味 冷えからくる病気 足のケガに注意	原因不明の体調不良 栄養失調の状態 生活改善の必要性

金貨6
VI OF PENTACLES

　商人のように見える男性が、左手に持った天秤で量りながら平等に分けたお金を、生活に困窮している人達に配っています。男性は厚地の豪華な衣装に身をまとい、飾りのついた帽子をかぶり、人生で大きな成功を収めている、裕福な人物であることがうかがえます。そのため金銭面だけではなく精神的にも余裕があり、こうした寛大な行動を起こすことができるのです。彼は決して見返りを求めて人々に善行を施しているのではなく、あくまでも「困っている人の力になりたい」という善良な思いと真の慈愛心から、活動しています。

　大アルカナの「正義」にも登場した天秤で量る行為は、私情を挟まずに公平な視点から物事を判断していることを示しています。彼はお金を分配する人達を、決して自分の好き嫌いで選ぶようなことはありません。

　見返りは求めなくても、貧しい人達の感謝と喜びの念が彼を包み、彼への恩恵は、ますます増えていくと予測できます。

	● 正位置 のイメージフレーズ	● 逆位置 のイメージフレーズ
①全体運	心からの慈善活動 寛大な助け合いの精神 援助の手を差し伸べる	ケチで自分本位 思いやりに欠ける言動 出し惜しみをする
②恋愛運	思いやりを忘れない交際 親切にするか親切にされる交際 優しく見守られる恋	思いやりを持てない交際 欲求を押しつける交際 愛情の出し惜しみをする
③仕事運	社会的に役立つ事業 奉仕精神を持って働く 福祉事業	自分のメリットだけを求める 社会的に役立たない仕事
④金　運	贈り物をしたりされたりする 募金をする 窮地の場合は援助を得る	お金を出ししぶる ケチになりお金を貯め込む 頑張りよりも少ない報酬額
⑤その他 　健康運	バランスの取れた健康状態 良い医者に恵まれる 良い健康情報を得る	不安定な健康状態 良い医者に恵まれない 健康情報を得られない

金貨 7
VII OF PENTACLES

　浮かない表情をした若者が、開けた土地で自分の農具に寄りかかりながら、植物の茂みにつけられた7枚の金貨に見入っています。この若者は、地味な色彩のチュニックを着ていることから、この植物を育てている農夫であり、7枚の金貨は農作物であると判断できます。彼の表情が沈んでいるのは、この農作物の成長が予想よりも遅く、なかなか収穫することができないためです。この植物の葉の形やところどころに生えている蔓から、ブドウのような農作物であると読み取ることができます。

　それでも決してこの農作物の成長が止まっているわけでも腐敗に向かっているわけでもなく、少しずつ時間をかけて成長し続けていることは確かです。既にやるべきことはすべてこなした彼が今できることは、ただジッと待つことしかありません。先を急いで中途半端な状態で刈り取ってしまえば、苦労を重ねてきたわりに得られるものは、ほんのわずかなものになってしまうのです。

	正位置 のイメージフレーズ	逆位置 のイメージフレーズ
①全体運	物事の成長を見守る 予想以上に遅い進歩 待って大きな収穫を得る	成長を諦め投げやりになる 待ち切れない精神状態 努力を放棄する
②恋愛運	時間をかけて成長する恋 進展が遅くジレンマを感じる恋 変化の得られない交際	進展を待てずに恋を諦める 中途半端に投げ出す恋
③仕事運	ジレンマを感じるほど遅い進展 なかなか成果が出ない仕事 待つことを強要される	頑張りが実らず意欲を失う 仕事の成果に納得できない
④金　運	報酬を得るまで時間がかかる なかなか上がらない給与額	不満を感じる報酬額 報酬を増やす努力ができない
⑤その他 　健康運	遅く出る治療や健康法の成果 治癒までに時間がかかる	治療や健康法を面倒臭がる 体質改善を図れない

金貨 8
VIII OF PENTACLES

　ここでは「金貨3」で専門家として活躍している彫刻家が、まだ修行を重ねている姿が描かれています。既に彼は職業人として彫刻に取り組んでいますが、同じ形の金貨を何枚も彫り、まだ複雑で報酬の良い仕事は任されていません。それでも決して途中で投げ出すことなく単調な仕事をコツコツと重ね続け、その成果として、まるでトロフィーのように自分の作品を大木に高く掲げて展示しています。彼は精魂込めて彫ったこの作品に、満足感と誇りを持っているのです。

　彼はまだ準備段階ではありますが、勤勉である上に器用で本来持っている能力は高く、これから着実に実力を伸ばし、少しずつ時間をかけて「金貨3」の熟練者の状態へと進んでいきます。その器用さや技術力の高さは彼自身だけでなく、多くの人を助けることになります。

　しかし、そうした能力の高さは悪く出ると、狡猾でずる賢い人物になります。ただ誠意があるかないかで、周囲に与える幸福度には大きな差がついてしまうのです。

	▌正位置 のイメージフレーズ	▌逆位置 のイメージフレーズ
①**全体運**	真面目にノルマをこなす コツコツと能力や内面を磨く 忍耐力と根気がある	虚栄心から手を抜く 良く見せようと見栄を張る 堅実な努力の放棄
②**恋愛運**	両想いへの地道な努力 マメに連絡を入れる交際 少しずつ進展する恋	自惚(うぬぼ)れが恋の障害になる 背伸びをしてメッキがはがれる 恋の努力を怠る
③**仕事運**	勤勉に与えられた仕事をこなす しっかり下積みをする 目立たなくても重要な仕事	手抜きやごまかしが多い仕事 苦労せず成果を得ようとする 惰性で取り組む仕事
④**金　運**	少しずつアップする給与額 少しずつ殖える貯蓄 高い節約意識	アップしない報酬額や貯金額 不良品や偽物を買わされる
⑤**その他 　健康運**	治癒のため努力する 規則正しい生活を送る	適当な健康管理 生活リズムが乱れる

金貨9
IX OF PENTACLES

　引きずるほどの長い裾を持つ華やかで豪華な衣装に身を包んだ女性が、領主の家の庭の中に一人で立っています。右端に見える館までにはかなりの距離があり、その庭が非常に広いことがわかります。
中世ヨーロッパの女性は、既婚の場合は夫以外に見せないようにと頭髪を束ねて帽子などにしまっていたため、帽子で髪を隠しているこの女性は既婚者であり、領主の妻だとわかります。また、彼女は鳥の爪で自分の手を傷つけないようにと手袋を着用し、そこに鳥を乗せています。一見小さく見えるこの鳥は、鋭い爪を持つ鷹などの猛禽類です。飛んでいかないようにと、鳥の頭には赤い布がかぶせてあります。
　庭にはたわわにブドウが実り、この土地の持ち主が豊かな経済力を持つことを示しています。その領主は彼女の夫であり、そのためこの庭は彼女の領土でもあります。その美しさで領主に愛されているがために、彼女は豊かな生活を享受できるのです。

	● 正位置 のイメージフレーズ	● 逆位置 のイメージフレーズ
①全体運	実力者からの寵愛 安全で安心できる状況 優雅で満たされた生活	媚を売ってメリットを求める その場限りの快楽 不誠実な言動
②恋愛運	愛される女性になれる 美女との縁が深まる 異性の寵愛を受ける	色気を利用して気を引く 誠意のない身体だけの関係 利用目的の恋
③仕事運	目上の人から援助される 自分の魅力を活かせる仕事 女性に関わる仕事	異性に色気を使う仕事 媚を売り成功を求める 労働意欲に欠ける状態
④金　運	安心できる財政状態 贅沢ができる状態 金銭的援助を得る	服飾品などでの過度の散財 貢いで損をする 楽をして儲けようとする
⑤その他 　健康運	美しく愛される女性 良好な美容運 美肌作りやダイエットの成功	色気を売りにするみだらな女性 性的な病気 望まない妊娠

金貨 10

X OF PENTACLES

　大きな館の領地に通じるアーチ型の門の前で、血縁関係者が一堂に会しています。その最たる長(おさ)は手前に座っている長いひげをたくわえた、この館の主である老人です。彼は長い時間をかけて、この館という巨大な財産と大勢の家族を築き上げてきた、人生の成功者であるといえるのです。

　アーチ型の門には紋章が飾られ、その中の一つに平等性と合理的な判断力を示す天秤が描かれています。その門の下にはこの老人の子ども夫婦が立って、穏やかに会話をしています。そしてその息子であるこの老人の孫は、老人に懐いている2匹の犬を不思議そうに見つめ、そのうちの1匹の尾に恐る恐る触れています。全体的に、家族の朗らかさや安心感が伝わる温かい絵柄です。

　各スートの10は、そのスートが持つ性質が完成された状態を示しますが、この「金貨10」には、まさに物質的豊かさが結晶となった、物質的な面においての人間にとって理想的な状況が描かれています。

	● 正位置のイメージフレーズ	● 逆位置のイメージフレーズ
①全体運	アットホームな時間 家族と過ごす時間 穏やかで心温まるムード	気が抜けてルーズになる 惰性で時間を無駄にする 家族との争い
②恋愛運	家族と過ごすような温かい交際 家族ぐるみの交際 結婚して平和な家庭を築く	慣れ合いで刺激のない交際 長すぎる春になる 変化がなく惰性で続く交際
③仕事運	和気あいあいとした職場 穏やかな流れの仕事 安心して取り組める仕事	気合いが入らない慣れた仕事 平行線の仕事状況 慣れ合いムードの職場
④金　運	身内からお小遣いをもらう 問題なく家計をやり繰りできる 安定した収入 遺産が入る	ルーズな金銭管理 だらけた収支状況 家族との金銭争い
⑤その他 　健康運	血縁関係者 穏やかな健康状態 家族との時間が健康体を築く	血縁関係者 惰性の食生活での飽食 肥満傾向

金貨ペイジ
PAGE OF PENTACLES

　のどかな風景が広がる平野の中で、少年が両手で大事そうに金貨を持ち、それを上に掲げて熱心に見入っています。その金貨の様子を調べたり、金貨を見つめながら何かを熟考していたりしているのです。彼は思考を働かせながらも足を止めることはありませんが、金貨に意識が集中しているためその歩みは遅く、周りの様子に気がつくこともありません。それほどこの少年は、勉強熱心な性質を持っているのです。また、金貨を見つめていることから、経済にも高い関心を持つ人物であると判断できます。

　この少年の周囲は自然の澄んだ空気と鮮やかな緑に包まれていて平和なムードが漂い、彼が警戒心を要するものは、何一つありません。また、彼がかぶる大きな飾りのついた鮮やかな色をした帽子が、彼が経済的に安定した環境にいることを示しています。こうした恵まれた環境の中で生活できるお陰で、この少年は勉学や研究だけに全力投球することができるのです。

金貨ペイジ　PAGE OF PENTACLES

	正位置 のイメージフレーズ	**逆位置** のイメージフレーズ
①全体運	真面目に勉学に励む 専門知識を身につける 良い知らせが入る	怠惰になりサボる 勉強に対して不真面目になる 良くない知らせが入る
②恋愛運	長く続く誠実な愛情 想いを静かに温め続ける恋 恋より仕事や勉強を重視する	友達から抜け出せない 嘘の多い不誠実な異性 深まりにくい恋
③仕事運	与えられた役割を真面目にこなす 勤勉になれる 仕事に役立つ知識を学ぶ	いい加減に仕事をこなす 遅刻や欠勤が増える 小さなミスが増える
④金　運	少額のお金でも大事にする コツコツと地道に稼ぐ 金銭に関する良い知らせ	お金をいい加減に扱う 浪費して放蕩(ほうとう)生活を送る 少額を損失する
⑤その他 　健康運	真面目で勤勉な学生 好調な勉強運 安定した健康運 質素な生活で健康になる	怠惰で不誠実な学生 勉強運の低下 健康に無頓着な生活

金貨ナイト
KNIGHT OF PENTACLES

　鎧に身を包んだ騎士が、重量のある黒い馬に乗っています。馬の性格は忍耐強く、まるで止まっているかのように、その歩みは非常にゆっくりです。それでも決して馬は焦ることなく、一歩ずつ着実に前進を続けています。

　各スートの騎士が持つ性質は、乗っている馬の表情が示しています。ですからこの騎士の性質も、この馬のように忍耐強くて慎重です。馬の歩みが遅くても、決して怒ることはありません。時間がかかってでも目的地に到着するのを、辛抱強く待っているのです。また、この騎士は誠意と責任感を持ち、頼まれたことを最後までやり遂げる、有能で奉仕心のある人物です。

　騎士は金貨を手に乗せて、それを周りに見せるように提示しています。しかし彼自身はその金貨に目を向けておらず、その視点はさらに前方を見つめています。馬の歩みがどれほど遅くても、いつか必ず目的地へ到達するという未来への希望を胸に秘めているのです。

金貨ナイト　KNIGHT OF PENTACLES

▌正位置
のイメージフレーズ

▌逆位置
のイメージフレーズ

①全体運
▌慎重で着実な前進
　確保される安全
　現実を見据えての行動

▌停滞によるマンネリ感
　動くのが億劫でものぐさになる
　新鮮味のない生活

②恋愛運
▌ゆっくりと結婚に向かう交際
　一つの恋を大事にする
　誠意のある告白やプロポーズ

▌進展がなく停滞する恋
　マンネリ感のある交際
　現状から抜け出せない恋

③仕事運
▌役割を責任持って完遂する
　時間をかけて進む仕事
　安定感のある仕事

▌創意工夫がなく惰性で取り組む
　変化がなく退屈な仕事
　動きがない仕事

④金　運
▌安定した収入
　必要な生活費の確保
　大事にお金を使う

▌無計画にお金を使う
　無駄遣いが多い状態
　増えない収入額

⑤その他 健康運
▌誠意のある忍耐強い人物
　安定した健康状態
　徐々に回復する病やケガ

▌いい加減な健康管理
　運動不足の傾向
　肥満気味

金貨クイーン
QUEEN OF PENTACLES

　冷たい石の椅子に腰かけている女王の表情は暗く沈み、うつむきがちに手にした金貨をジッと静かに見つめています。この金貨は彼女のシンボルであり、その中にある世界から、何かを見つけ出そうとしているかのようです。

　この女王の肌は浅黒くて髪は黒く、女性でありながら豊かな学識を持っていて、哲学的な思考を好む人物です。その思考や学識は理論的なものではなく、魂に関する偉大な思考であるといえます。

　椅子には、西洋占星術で四元素の中の地を象徴する山羊座の山羊の顔が彫刻され、彼女が哲学的であると同時に、物質を重視する人物であることもわかります。身につけている豪華な王冠や衣装、地位の高さから、実際に彼女は既に望んだ富を手にしています。それでも表情が暗いのは、物質的なことだけでは心が満たされないということを、実際に富を手に入れることによって知ったからです。そして安定した生活の中の変化のなさや退屈さにも、気を滅入らせているのです。

	▌ **正位置** のイメージフレーズ	▌ **逆位置** のイメージフレーズ
①**全体運**	現実的な援助がある 思考に耽り動けない状態 慎重な態度や行動	保守的な姿勢で退屈な状況 無責任で行動しない状態 マンネリ状態
②**恋愛運**	考えてばかりで動きのない恋 女性の方が深い愛情を持つ 良妻賢母型の交際	保守的になり進展しない恋 退屈な状態が続いていく 警戒心の強さが恋の障害に
③**仕事運**	マニュアル通りに仕事をこなす デスクワーク 女性の援助で順調に進む	変化のない退屈な仕事 ルーチンワーク 慎重な女性が足を引っ張る
④**金　運**	高めで安定した収入額 殖えていく貯蓄額 上手にお金を使える状態	鈍くなる金銭感覚 高価な物を買い浪費する 散財でストレスを発散する傾向
⑤**その他 　健康運**	保守的で慎重に行動する女性 穏やかな健康状態 運動不足の傾向	保守的で堅苦しい女性 慢性的な疲労 運動不足の状態

金貨キング
KING OF PENTACLES

　性別は違いますが、前の「金貨クイーン」と似た性質と心情を持つ王が描かれています。王はさまざまな装飾が施された重量感のある黒い王座に腰かけ、静かに目を閉じています。彼の顔は浅黒くて髪の色は黒く、根本的に現実的で勇敢な性格ですが、どこか腰が重くて無気力になりがちな面もあります。

　王座に彫刻されている牛は、占星術で四元素の地を示す牡牛座の象徴で、彼が物質的な世界を司る王であることを示しています。その証明として、彼が身にまとっている王冠や衣装は非常に豪華で、その衣装には物質的実りを示すブドウが数多くプリントされています。そして彼の足元には実際にブドウが実っており、王座の後方には、彼が手に入れた巨大な城が堂々とそびえ立っています。物質的な世界の王に相応しく、欲しい物はすべて簡単に入手できる状態なのです。

　それでもその表情が暗く沈んでいるのは、やはり「金貨クイーン」と同様に、物質を増やすだけでは真の幸福が得られないということを、知ったためであるといえます。

金貨キング　KING OF PENTACLES

	▶ **正位置** のイメージフレーズ	▶ **逆位置** のイメージフレーズ
①**全体運**	■ 成功して安定した生活状況 着実に物事を進める行動力 現実的な感覚や視点	■ 強欲で損得勘定をして動く 得するために手段を選ばない 変化がなく退屈な状況
②**恋愛運**	■ 男性のリードに合わせる交際 少しずつ結婚に進む二人 経済力と誠意のある異性	■ 頑固な男性に振り回される恋 金銭的に損をする交際 マンネリ感のある交際
③**仕事運**	■ リーダーとして活動する 頼り甲斐のある上司 順調に進む大事業	■ 汚職や不正行為に関わる 自分だけの得を求める仕事 視野が狭くワンマンな上司
④**金　運**	■ 経済的な成功と安定 満足できる報酬額 豊かな財政状態	■ 保守的で財産を貯め込む傾向 自分が儲けることを優先する 変わらない収入額
⑤**その他** **健康運**	■ 安定感があり頼れる男性 安定した体調 運動不足の傾向	■ 視野が狭く頭が堅い男性 時間をかけて蓄積する疲労 肥満気味

剣エース
ACE OF SWORDS

　植物1本も見当たらない閑散とした荒野が広がるその上空に雲が湧き出て、その雲から鋭い剣を持った力強い手が突き出しています。剣を持つ手は白いオーラで輝き、6個の光の雫が剣の周りに飛び散っています。6は調和を示す数ですから、この剣が単純に人を殺傷するだけのものではなく、何かを調節するような有意義な力を持つことがわかります。

　剣の上部には王冠が輝き、勝利による栄光に関与することを示しています。そして2種類の植物が飾られていますが、その形態と聖書に頻繁に出てくる植物であることから、左は平和の象徴とされるオリーブであり、右は「恋人」にも出てきた生命の樹のモデルといわれるナツメヤシの葉であると推測できます。

　「剣エース」は、トランプでは一番の悪札とされる「スペードのエース」の源泉を持ち、肉体のみならず人の心を呆気なく刺し殺すような鋭いパワーを持っています。しかし使い方によっては、人に栄光や平和をもたらすのです。

剣エース ACE OF SWORDS

	正位置 のイメージフレーズ	逆位置 のイメージフレーズ
①全体運	容赦ない前進と勝利 権力を駆使する 力を持って征服する	暴力的で残忍な行動 攻撃的な言葉や態度 強力なライバル意識や闘争心
②恋愛運	ライバルに勝利する 略奪愛の成功 強引に進める恋愛	恨みや攻撃心に変わる愛情 攻撃的で支配的な異性 大喧嘩が破局を招く
③仕事運	ライバル争いに打ち勝つ 権力で思い通りに動かす 積極的な開拓	ライバル争いに徹底的に負ける 強引なやり方が反感を買う 仕事に大きな邪魔が入る
④金　運	ギャンブルに勝利する 借金やローンの完済 大胆な投機の成功	ギャンブルや投機で大敗する 借金やローンに苦しむ 悪事で儲けようとする
⑤その他 　健康運	好調なスポーツ運 手術の成功 大胆な治療法の成功	スポーツや刃物でのケガに注意 苦労をする手術 痛みを伴う疾患

剣 2
II OF SWORDS

　目隠しをされた女性が四角い椅子に腰かけて2本の剣を持ち、自分の肩の上でそれを交差させています。この剣はかなり長くて重量感があるものの、彼女はその剣の傾きを左右対称の状態にして、上手にバランスを保っています。目隠しをしているため、情報を目から入手できない言葉通り盲目の状態ですが、それは2本の剣のバランスを取ることに対して、あまり悪影響を及ぼしていません。

　三日月が輝いていることから、時間帯は夜であることがわかります。彼女の背後には暗い海が広がっていますが、波風はなく非常に穏やかです。

　月や海は、四元素の中で情を司る水の象徴であり、女性が2本の同じ剣を対称に持っていることから、このカードは「友情」や「親密さ」を示します。恋愛であれば、対等な関係である友情に近い恋愛感情であると読み取れます。基本的に四元素の風を司る剣のカードは、恋愛に関してもサバサバしているのです。その他には、「相似」や「均衡」という意味も持ちます。

	正位置のイメージフレーズ	**逆位置**のイメージフレーズ
①全体運	バランスが取れた状態 二つの物事が調和する 順調なコミュニケーション	軽いノリの不誠実な行動 バランスが取れない状態 決断できず迷いが多い状態
②恋愛運	友情に近い恋愛感情 あまり深入りしない恋 二人の異性が気になる状態	複数の異性の間で揺れ動く 真剣味に欠ける軽い恋 浮気心を持つ
③仕事運	複数の仕事を同時にこなす 要領よく仕事をこなせる 和気あいあいとした職場	中途半端に複数の仕事をする 雑念が多く仕事に集中できない 軽いノリで働く
④金運	収支のバランスが取れる 楽しくお金を使える 交際への出費の成功	浪費癖で無駄遣いする 交際費や飲食費の増加 不安定な収入
⑤その他 健康運	好調な友達運 安定した健康状態 精神と肉体のバランスが取れる	不安定な友達運 変わりやすい体調 精神と肉体のバランスを崩す

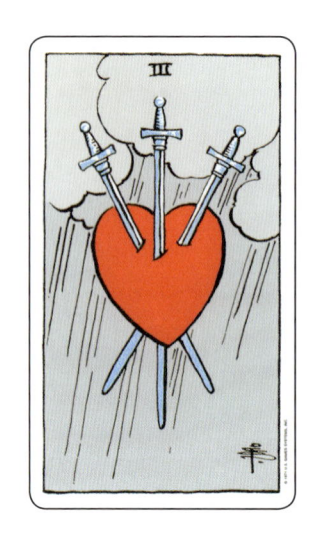

剣3

III OF SWORDS

　中央に描かれている赤いハートは人間の心臓を象徴しますが、それは血液を体内に送り込む物質的な内臓の心臓ではなく、人間の心であり魂です。その赤く息づいている心を、3本の剣が中心を目がけてグサリと貫いています。心や魂が深く傷つけられた状態なのです。

　ハートが浮かんでいる空には厚く暗い雲がかかり、その雲からは激しい雨が降り落ちています。その天候が、このハートの持ち主の感情を如実に表現しています。鋭い剣によって心や魂を傷つけられた者は、激しく降り続けるこの雨のように、涙が止まらないほどの悲しい感情を抱えているのです。

　剣のスートは四元素の中の風を象徴しますが、風は何かを判断・判定するような知的活動であり、言葉です。知的活動は生活や心を豊かにする作用がある反面、批判や断定など、鋭く人の心を傷つけることがあります。このカードは、そうした場面を描いているのです。

	正位置のイメージフレーズ	逆位置のイメージフレーズ
①全体運	涙を流すほどの深い悲しみ 深く心を傷つけられる ネガティブな思考	混乱する精神状態 耐えられないと感じる 冷静になれず周りが見えない
②恋愛運	失恋など悲しい思いをする 不利な三角関係 悲観的になりすぎる恋	ライバルの存在に怯える 異性の意外な面を見て混乱 冷静になれない恋
③仕事運	期待通りに進まず失望する 批判やクレームに傷つけられる 能力のなさを実感する	感情的で仕事が手につかない 予想外の結果に動揺する 全く先が見えない状態
④金 運	詐欺や盗難に遭う心配 善意での出費を踏みにじられる 大事な物をなくす心配	予想外の大損失がある お金を騙し取られる心配 投機やギャンブルの大失敗
⑤その他 健康運	重い感情が体調も悪化させる 心臓の動きが弱る可能性 精神面での疾患	精神の混乱が体調を崩す元に 情緒不安定な状態 突然の体調悪化に注意

剣 4
IV OF SWORDS

　鮮やかなステンドグラスの窓がある室内の墓の上に、身体を真っ直ぐに伸ばして横たわり、祈りの姿勢を取っている騎士の像があります。これは実際にこの騎士の墓であり、像は墓石の役割も果たしています。墓の奥にある壁には、まるで騎士を狙うかのような位置に3本の剣が縦に並べて飾られ、墓の下には騎士の像の向きに沿って、この騎士の遺品であると思われる1本の剣が手向けられています。

　この場面の中に、動くものは何一つとしてありません。空気の流れさえも止まっている、シンと静まり返った状況なのです。

　そのため、このカードには「休息」という意味が与えられています。何の動きも見えず、時間が過ぎて動きが出てくるのを待つしかない状態です。実際に休息を取り、パワーチャージをする場合もあります。

　また、未来がまだ不確定であるなどカードが答えを出しにくいと判断した時に、最終結果など重要な位置に、このカードが正位置で出る場合があります。

	正位置 のイメージフレーズ	逆位置 のイメージフレーズ
①全体運	忙しさの後の休息 動きが一時停止した状態 一度問題から離れる	慎重に動き出す 用意周到の上での動き 停滞から回復する
②恋愛運	動かず停滞する恋愛状況 恋愛を一時停止する 恋をするキッカケがない	停滞していた恋が動き出す 久し振りの異性との出会い 恋を進める準備を始める
③仕事運	慌ただしさから離れて休息 動かず静かに待つ状態 仕事を一時停止する	停止していた仕事が動き出す 計画を徐々に実行に移す 賢明な仕事の処理
④金　運	お金のことから意識を離す お金の動きが一時的に止まる 入金などを待つ状態	貯蓄を有効に使い出す 滞っていた支払いがなされる 収入の目処が立つ
⑤その他 　健康運	体力回復のために入院する 体調は変わらない状態	悪かった体調が回復する 健康作りのために動き出す 退院する

剣 4　IV OF SWORDS

剣 5
V OF SWORDS

　尊大な性格を持つ男がほくそ笑みながら、敗者の二人の男性が背を向けて去っていく姿を見送っています。負けた二人の剣は地面に打ち捨てられており、尊大な男性は、その2本の剣も手中に収めることができると喜んでいます。この男性は、残忍な手段を使い力づくで、この二人との戦いに勝ったのです。

　この男性が既に3本の剣を手にしているのは、過去にも同じような手口を使い、複数の者との戦いで勝利を収めた経験があることを示しています。それは遠い過去ではなく、ごく最近のことです。戦利品である2本の剣は左肩に置き、自分の剣は右手で持ち、地面に向けています。

　勝者である彼は、この領地の所有者です。地主である彼に戦いを挑む者達を徹底的に打ち負かすことに、彼は快感を覚えているのです。彼の領地の上にはとがった灰色の雲がスピーディーに流れ、この土地が持つ不穏なムードを強めています。

	正位置 のイメージフレーズ	逆位置 のイメージフレーズ
①全体運	残忍な手段での勝利 うわべだけの勝利 利己的な行動 残酷な征服	敗北で屈辱感を味わう 残忍な人に苦しめられる 不名誉な出来事
②恋愛運	自分に有利に進める交際 異性への復讐が成功する 狡猾さでライバルに勝つ	ライバル争いに負ける 威圧的な異性に屈する交際 悔しい思いをする恋
③仕事運	手段を選ばず争いに勝つ 人を蹴落とし優越感を味わう 強引に実力を認めさせる	強欲な人に仕事を奪われる 今のポジションを脅かされる 仕事で屈辱感を味わう
④金運	強奪する形で収入を得る 弱い人を恐喝する ギャンブルに適度に勝つ	詐欺や恐喝に遭う心配 不良品を買わされる 少ない報酬額に憤る
⑤その他 健康運	うわべだけの健康体 神経の酷使からくる痛み	治療の成果が出ない 良い医者に恵まれない

剣6
VI OF SWORDS

　広い川で渡船の仕事をしている船頭が、乗客である女性と子どもを一人ずつ乗せて、はるか遠くに見える向こう岸まで小舟を漕いでいます。乗客の水面への転落を防ぐかのように、小舟の両脇には左右3本ずつ、計6本の剣が立てられ、安全面が強化されています。

　風もなく川の流れは非常に穏やかで、霧もなく視界がよく開け、進路は障害がなく運搬は順調です。重い積み荷を運ぶ能力が備わっているこの船頭にとって、女性と子どもというこの積み荷は軽く、結果的には無事に二人の乗客を向こう岸まで運び切るということが推測できるのです。

　各スートの6は「調和やバランスが取れた状態」を表し、厳しいカードが多い剣のスートの中では、この「剣6」が一番穏やかでポジティブな意味を持つカードです。剣が象徴する四元素の風が司る知性やコミュニケーションがより調和的に形成され、人が人を守り助ける形として表現されているのです。

	正位置 のイメージフレーズ	**逆位置** のイメージフレーズ
①全体運	安全な方向へ進む 援助者と手を取り合い前進 困難からの脱出	逃げられない行きづまり感 挫折する 何かから離れていく 何かが自分から離れていく
②恋愛運	男性がリードし女性を守る交際 手を取り合い交際を進める 結婚に向かう恋	次第に離れていく二人 共通点が見出せない二人 終わりに向かう交際
③仕事運	関係者と協力し順調に進む 仕事の明るい見通しが立つ 良い職場への異動	転職や退職をする 事業計画が頓挫する 離れていく協力者
④金　運	上手にお金を運用できる 金銭的援助を得られる 順調に入る報酬	出費が多い状態 期待していた入金がない 盗難や持ち逃げに遭う心配
⑤その他 　健康運	旅行運が好調 順調に回復する健康状態 順調な消化器系統の働き	トラブルが多い旅行運 体調が悪化しやすい状態 消化器系統の不調

剣7
VII OF SWORDS

　軍隊の駐屯地の近くに立てられている7本の剣の中から、一人の男性が5本の剣を担ぎ出し、盗み出そうとしています。男性の表情にはほくそ笑むような余裕があり、足音を立てないようにそっと地面を踏みしめ、盗みをすることに慣れていることがわかります。2本の剣は地面に残されたままですが、それも何かの戦略があってのことです。軍人達は駐屯地から離れた場所で、もうもうと煙を焚いて飯炊きの準備をしており、剣が盗み出されていることに気づく人は誰もいません。

　「剣7」は、昔からタロットの種類によりさまざまな意味がつけられ、非常に読み方が難しいカードであるとされてきました。そのため「剣4」の場合と同様に、タロットが占いの結果をハッキリ出せない時に、この「剣7」を最終結果など重要な場所に、正位置で出ることがあります。しかし各スートの7は「調和が崩される状態」を示しますから、基本的にはネガティブな意味が強いといえます。

剣7 VII OF SWORDS

	● **正位置**のイメージフレーズ	● **逆位置**のイメージフレーズ
①全体運	ずるがしこい行動 計算づくの行動が成功する 策略を練る	役立つアドバイスを得る 知性を有効に使う 人のために行動する
②恋愛運	計算しながら進める恋 メリットを求める交際 誠意に欠ける恋	メリットのある交際 恋に関する良い助言を得る 情熱度の薄い恋
③仕事運	巧みな話術で信頼を得る 自分だけのメリットを得る 詐欺に近い仕事	仕事に役立つ情報を得る 周りの人を指導する 人の仕事を手伝う
④金　運	人から借金をする 人から多くの物をもらう 正当ではない報酬	金銭運用の良いアドバイス 的確な金銭運用計画
⑤その他 　健康運	病院の診断ミスに注意 薬に依存しすぎる状態	医者からの良いアドバイス 健康診断でメリットを得る

剣8

VIII OF SWORDS

　女性が目隠しをされた上に上半身を紐で縛られ、水辺に立たされています。彼女の周りを取り囲むように8本の剣が立ち並び、下手に動くと剣で身体を傷つけてしまうため、身動きを取ることができません。少し離れた山の上には城があり、彼女を監視しています。

　しかし、剣は完全に彼女を包囲しているわけではなく、また彼女を縛る紐は、それほどきつく巻かれているわけではありません。そして下半身は自由であり、少しずつでも歩くことができる状態です。ですからこの拘束が延々と続くのではなく、足探りをしながら少しずつ剣の周りから離れ、それほど長い時間が経たないうちに、自由を取り戻すことができると判断できます。

　ですからこの「剣8」は、一時的な「拘束」や「束縛」を意味しています。その拘束や束縛とは精神的なものである場合が多く、例えば、激しい無念や悔しさを引きずったり、危機が訪れることを懸念して何も手につかなくなったりする状態を指します。

	● 正位置 のイメージフレーズ	● 逆位置 のイメージフレーズ
①全体運	身動きが取れない状態 束縛された状態 忍耐が必要な状態	立ちふさがる困難や障害 悪化していく状況 予測できない問題や運命
②恋愛運	我慢することが多い恋 自由に動けない恋 待つしかない恋の状況	困難や障害が邪魔をする恋 苦労を強いられる交際 耐えるしかない状況
③仕事運	仕事状況が停滞する ジッとしているしかない状態	もがくほど悪化する仕事状況 想定外の障害に阻まれる
④金　運	入金の延期や停滞 貧困生活を余儀なくされる 欲しい物を我慢する	苦しい金銭状況から脱出できない 増えていく借金 欲しい物が手に入らない
⑤その他 　健康運	無理がたたり過労気味に 静養が必要な健康状態 整体の必要性	悪化する健康状態 過労が病を引き起こす 事故に巻き込まれる心配

剣9
IX OF SWORDS

　夜、寝台の上で、上半身を起こした女性が両手で顔を覆い、悲観に暮れています。彼女は自分の人生の中で最大の悲しみや嘆きに直面しているのです。その彼女の背後の闇の中には、9本の剣がほぼ等間隔で並んでいます。剣は一見彼女を刺しているようですが、実際には後ろを通りすぎているだけです。ですから実害を伴う事柄より、失望や絶望など、精神面での動きを強く示すカードになります。

　寝台の脇には2者が戦っている姿が彫刻され、不穏なムードを高めています。また、布団の柄には西洋占星術のマークが散りばめられていますが、火星と土星というネガティブな天体のマークが目立ち、金星や木星というポジティブな天体のマークは見えていません。

　「剣9」は、トランプ占いで「スペードのエース」の次にネガティブなカードとされる、「スペードの9」に対応しています。そのため小アルカナの中でも非常に重苦しい、人生の大きな苦難を示すカードだといえるのです。

	▍正位置 のイメージフレーズ	▍逆位置 のイメージフレーズ
①全体運	▍激しい精神的な苦悩 長く続く悲しみの感情 将来への絶望感	▍中傷やゴシップに悩まされる 侮辱や恥を感じる状況 疑惑を抱え疑心暗鬼になる
②恋愛運	▍心配する場面が多い恋 悲しい結末で終わる恋 必要以上に恋の心配をする	▍恋の噂や中傷に悩まされる 批判や非難される恋 異性の前で恥をかく
③仕事運	▍悲観的になり集中できない 仕事の先行きに対する絶望 大きな失敗	▍大きな失敗をして恥をかく 仕事能力に劣等感を持つ 仕事の中傷に悩まされる
④金　運	▍将来の経済状態を悲観視する 希望通りに進まない金銭状態 収入の途を断たれる	▍予想外の出費に悩まされる 大事な物をなくす
⑤その他 　健康運	▍重い精神が体調を悪化させる 必要以上に健康を悲観視する 手術への不安	▍予想よりも悪い健康状態 治癒までに時間がかかる

剣 10

X OF SWORDS

　水辺の近くで倒れている男性に、10本の剣が突き刺さっています。その刺さり方は中途半端ではなく、すべて男性の身体を完全に突き通しており、男性は頭部の方から血を流して死んでいます。これだけ多くの剣が刺さっているのですから、完全に息の根を止められ、再起不能の状態です。

　各スートの10は、その四元素が完成された状態を示しますが、この「剣10」は剣のカードの総集編として、剣のスートの各カードに登場しているすべての剣が、まとめてこの男性に突き刺さっています。それは苦しかった物事が好転することなく、そのまま悪い結末を迎えて終了している姿であるといえます。

　しかし、遠くに見える山脈の向こうの空は黄金色に輝き、長かった夜が静かに明け始めているのがわかります。どんな結末であっても苦しかった状況が終わりを見せれば、新しいステージへと進むことができるのです。そこでは今まで想像もつかなかった、予期せぬ幸運を手に入れることも可能です。

	正位置 のイメージフレーズ	逆位置 のイメージフレーズ
①全体運	物事の悪い形での終了 すべての希望が終焉になる 苦しかった状況が幕を落とす	一時的に好転する状況 かすかな希望が出てくる 一時的な悩みの解消
②恋愛運	辛い形で終わりを迎える恋 苦しい恋に終止符を打つ 別れを突きつけられる	一時的に恋の希望が出てくる 新しい恋の兆しが見える 別れた人と一時的に復縁する
③仕事運	困難な状況が幕を落とす 希望の職に就けない状態 事業を中止する	最悪の状況から脱する 仕事に小さな希望が見えてくる 新しい事業案が出てくる
④金　運	収入の途が断たれる 期待していた収入がない 自己破産をする	小さな臨時収入がある 借金を少し返済する 新たな収入源が見つかる兆し
⑤その他 　健康運	健康を無視した生活 事故によるケガに注意	病気が治癒の兆しを見せる 一時的に退院できる

剣ペイジ
PAGE OF SWORDS

　いつ敵に襲われても応戦できるようにと、剣を両手に持ち垂直に高く掲げた少年が、周囲を警戒しながら荒野を歩いています。あちこちを見回し警戒心を怠らないながらも、その歩行のスピードは速く、彼が迅速で柔軟性のある行動力の持ち主であることがわかります。彼が歩く道は起伏が多いものの、決してつまずくようなことはありません。

　これだけ彼が周囲に強い警戒心を持っているのは、彼が秘密諜報機関や探偵などに関わる、スパイ的な役割を持っているためです。各スートのペイジはすべて情報の伝達という意味を持ちますが、「剣ペイジ」はその中でも知的度が高く、簡単に入手できないような情報を伝えることを示します。剣が示す四元素の風が理知的でドライであることから、その情報は情が込もった温かさを感じるものではなく、数字に関するものや、人の秘密や欠点を暴くようなものであると判断できます。その情報を伝えることにより、相手の心を傷つける場合もあるのです。

剣ペイジ　PAGE OF SWORDS

	● 正位置 のイメージフレーズ	● 逆位置 のイメージフレーズ
①全体運	警戒心を持って動く 用心深く行動する 何かの連絡や情報が入る	裏切りやスパイ行為 冷淡で利己的な言動 好戦的な態度
②恋愛運	警戒心が恋の進展を阻む 異性に心を開けない 恋愛に縁がない状態	冷淡な態度で異性を傷つける 異性を裏切るか裏切られる 恋の嫌な噂を聞く
③仕事運	用心深く少しずつ進める仕事 仕事の貴重な情報が入る 一人で取り組む仕事	スパイ行為に遭う 反逆的な思想の仕事仲間 クレームに遭う
④金　運	お金を計画的に使う 高い節約意識 良い金融情報が入る	過剰な節約意識 小さな金額にこだわる 間違った金融情報
⑤その他 　健康運	好調な勉強運 確かな健康法を知る 健康診断を受ける	神経過敏で健康を害する 健康情報に振り回される 神経痛

剣ナイト
KNIGHT OF SWORDS

　まるで敵を蹴散らすかのように、全速力で疾走する馬に乗り、剣を振りかざす騎士。雲が流され木々がたなびく強い向かい風をものともせず、敵や目的地に向かって突き進んでいます。人情や夢などの温かい感情を心の中から捨て去っている彼は、命を失うことすらも恐れないため、戦いに全力で立ち向かいます。すべてのスートのナイトの中で、この「剣ナイト」が一番、さまざまな物語に出てくるヒーローのイメージに近く、彼を見る人に勇敢さを与えます。

　「剣ナイト」は、「アーサー王物語」に登場する円卓の騎士の一人である「ガラハッド」をモデルとして描かれています。ガラハッドは澄んだ心の持ち主であり、それゆえに聖杯探求の旅を通して、聖杯を発見できたのです。彼には円卓の中の「呪いがかかった危険な座」と恐れられている席に恐れずに座り、呪いに打ち勝ったという、勇敢さを感じさせる逸話も残されています。「剣ナイト」のモデルとして相応しい人物であるといえます。

	正位置のイメージフレーズ	**逆位置**のイメージフレーズ
①全体運	素早く展開していく状況 恐れを知らず突き進む 困難に体当たりする	盲目的に動いて失敗する 急いで軽率な行動に走る 攻撃力で周りを威嚇する
②恋愛運	押しの強さで恋が成就する 男性側が急接近する ライバル争いに勝つ	男性側が攻撃的な交際 心が通わない一方通行の恋 急速に離れていく異性
③仕事運	全力で働き成果を上げる 交渉事が有利に展開する 強引に押して成功する	無理な要求を押しつけ失敗 目標を追いすぎて盲目になる 性急すぎる行動
④金　運	思い切った買い物が成功する 先行投資が功を奏する	衝動買いをして失敗する タイミングが早すぎる投機
⑤その他 健康運	素早い診断で回復に向かう 手術が成功する 精神疲労の傾向	神経痛など痛みを伴う症状 神経過敏の状態 スポーツでのケガの心配

剣ナイト　KNIGHT OF SWORDS

剣クイーン
QUEEN OF SWORDS

　横向きに王座に腰かけた女王が、右手で剣を垂直に掲げています。その剣は掲げやすいようにと、柄は椅子の肘かけに置かれています。そして左手を前方へ伸ばし、手のひらを上へ広げています。女王の顔には表情がありませんが、これは悲しみの感情を抑え込んでいるためです。この女王は深い悲しみを知る人物なのです。

　この女王は既婚ですが、何らかの理由で夫を失い、未亡人として暮らしています。子どももなく、その孤独感が彼女の心を凍りつかせているのです。

　しかし彼女が悲しみを知っているからといって、慈悲心があるわけではありません。また、彼女が持つ剣は、権力や闘争心を象徴していません。それは自分の心を守ったり、人を立ち入らせないようにしたりするための道具でもあります。

　それでも彼女が完全に冷酷な人間ではなく、女性らしい感情を持っていることは、蝶があしらわれた王冠や、青空の柄のガウンが遠巻きに示しています。

剣クイーン QUEEN OF SWORDS

	▌正位置 のイメージフレーズ	▌逆位置 のイメージフレーズ
①全体運	クールで冷淡な行動 情を断ち切った合理的な言動 悲しみの感情を押し殺す	意地悪で批判的な態度 冷たい言動に傷つけられる 壁があり進展しない状況
②恋愛運	恋に関心を持てない状態 恋愛ムードが漂わない 女性側が心を閉ざした恋	心を閉ざし異性を寄せつけない 自ら恋を遠ざける 女性側に隙がなく進展しない
③仕事運	合理的に淡々と進める仕事 理知的な女性からの援助 整理された仕事の情報	保守的なため発展しない仕事 視野の狭い女性の邪魔 ギスギスした職場
④金　運	節約意識で無駄遣いを省く 計画的にお金を使う 安定した収入額	ケチになり出費を惜しむ 減り気味の収入額 強い金銭へのこだわり
⑤その他 　健康運	クールで冷淡な女性 未亡人 婦人科系の働きの不調 神経疲労の傾向	強い警戒心を持つ女性 温かみのない人間関係 婦人科系の疾患

剣キング
KING OF SWORDS

　「剣キング」の王は、裁判を行うための椅子に座り、威圧感のある険しい表情で、鋭い剣を掲げています。この王はさまざまな問題に判定を下し、罪人には罰を与える裁判官としての役割を持っているのです。それは大アルカナの「正義」に描かれた女神の姿を彷彿とさせますが、彼は「正義」とは違い、平等性や合理的な判断力を意味する天秤を持っていません。彼が行う裁きはあくまでも彼の権力を持ってなされ、ときには自分の感情に任せて判断を下すような、不平等さや冷酷さを備えているのです。

　そして彼は生と死を振り分ける権限も持ち、有罪であればためらわずに死を与える場合もあります。それは人間としての温かい感情を持っていると難しい決断であり、この王の非情さや冷酷さがうかがえます。

　こうした裁判色の強い王であることから、この「剣キング」のカードには、裁判とそれに関するすべてのこと、例えば「法律」や「命令」などという意味も含まれています。

剣キング　KING OF SWORDS

	● 正位置 のイメージフレーズ	● 逆位置 のイメージフレーズ
①全体運	知性を持ち指導力を発揮 冷静に判断を下す 権力を駆使して動く	野蛮で残酷な行動 情に欠ける冷たい決断 意識的に人の心を傷つける
②恋愛運	男性側がリードする交際 亭主関白的な交際 温かさが感じられない恋	男性側が野蛮で攻撃的な恋 口論が多く心が通い合わない 相手の冷たさに傷つけられる
③仕事運	仕事の主導権を握る 独断が仕事の成功を招く 信頼できる上司	ワンマンな働きぶり 温情に欠ける上司 リストラに遭う
④金　運	計画通りにお金を運用する 資金運用の決断が功を奏す 高め安定の収入額	利己的にお金を運用する 資金運用の決断が失敗する 不安定な収入額
⑤その他 健康運	決断力と指導力のある男性 治療や手術が成功する 強い精神力を持つ	サディストな男性 神経過敏の状態 刃物によるケガの心配

聖杯エース
ACE OF CUPS

　蓮の花が咲いた水面が広がり、その上の空に雲が湧き出て、そこから大きな手が出現しています。そしてその手は聖杯を支え、その聖杯から各方向に向かって均等に水が噴水のように流れ出し、その周囲には水滴が飛び散っています。その聖杯に向かって、白い鳩が十字が描かれたホスティアを口に加え、水面に着地しようとしています。「ホスティア」とは、キリスト教の聖餐式で食する、イエス・キリストの肉体を象徴するパンのことを示します。

　聖杯のスートは四元素の中の水を司り、エースのカードにはその四元素が穢れのない純粋な状態で表れます。そのためこの「聖杯エース」の中に描かれている水は、すべて塵や汚れ一つなく、山頂の湧水のように澄み切った状態です。

　また、四元素の水は具体的には、人と人との心をつなぐ、深い情を象徴します。ですから棒が情熱や向上心を、金貨が物質を、剣が知性を司っていたように、聖杯のスートは愛情がテーマになるのです。

聖杯エース ACE OF CUPS

	▌正位置 のイメージフレーズ	▌逆位置 のイメージフレーズ
①全体運	純粋でロマンチックな感情 湧き上がる幸福感 人情の温かさを実感する	純粋な心を痛める出来事 善意を踏みにじられる 願い事が叶わない状態
②恋愛運	純粋で穢れのない愛情 ロマンチックな交際 深く愛し合える二人	純粋な心を傷つけられる 異性の言動に心を痛める 気持ちを受け入れてもらえない
③仕事運	感動を分かち合える仕事 仕事の夢や理想が実現する 芸術関係の仕事	夢や理想が実現できない ガッカリする出来事 感性を活かせない仕事
④金　運	贈り物をしたりされたりする 募金をする 深い感動を伴う収入	気落ちする出費がある 募金などの善意が無駄になる 欲しい物を諦める
⑤その他 健康運	励ましや応援が健康を支える 体調が回復して感動する	落ち込みが体調に影響する 食欲不振 なかなか回復しない体調

聖杯2

II OF CUPS

　植物でできた冠をかぶった若者と乙女が、それぞれ聖杯を手にしてそれをぶつけ合い、お互いに誓い合っています。その聖杯と聖杯の間から、ヘルメスが持つ杖であるカドゥケウスが表れ、その上には獅子の頭が追加されています。「ヘルメス」とは、ギリシャ神話の商人や旅人、泥棒を守護する、頭脳明晰で好奇心旺盛な青年神であり、「カドゥケウス」とは、2匹の蛇が絡みつき、大きな翼のついた杖のことです。獅子は四元素の中の火を司るため、この若者と乙女の間に燃える情熱が生まれたことを示すと判断できます。

　各スートの2は、四元素が純粋さを保ったまま、軽い形で表れた状態を示します。そのためこの「聖杯2」は、水が司る愛情が「恋愛」という具体的な形になって表れた状態が描かれています。このカードの絵は結婚式を挙げている真剣な愛の場面に見えますが、まだ生まれたばかりで軽い状態の、少年少女のようなドキドキと心ときめく恋愛を意味しています。

正位置
のイメージフレーズ

逆位置
のイメージフレーズ

①全体運

- 良いパートナーシップ
  信頼関係を育む
  心がときめく甘い出来事

- 離れていく恋愛や愛情
  崩れていくパートナーシップ
  価値観の不一致

②恋愛運

- 両想いになりトキメキを感じる
  ラブラブムードの二人
  魅力を感じ合う二人

- 冷めていく恋の情熱
  愛情が冷めて離れる二人
  未来のない遊びの恋

③仕事運

- 趣味のように楽しめる仕事
  ペアで取り組む仕事
  楽しさと高揚感を得る仕事

- 周りと歩調が合わない
  職場で意見が分かれる
  離れていく顧客や取引先

④金運

- 贈り物をしたりされたりする
  大切な人のために投資する
  楽しい買い物やグルメ

- 人のために投資して損をする
  遊びや衝動買いで散財する
  期待していた贈り物が届かない

⑤その他 健康運

- 良好な美容運
  トキメキが魅力を生み出す
  順調な健康状態

- 美容運の低下
  肌荒れや肥満
  一時的に体調を崩す

聖杯 3
III OF CUPS

　快晴の空の下、野菜や果物がたわわに実った豊かな庭園で、3人のうら若き乙女達が聖杯を高く掲げています。それは誓いを交わし合っている姿にも、乾杯をしている様子にも、そして楽しくダンスを踊っている風情にも見受けられます。

　華やかなドレスを着て結った髪に豪華な飾りをつけ、目一杯のお洒落をしている彼女達は、先のことや難しいことを考えることなく、今この瞬間の幸福を謳歌しているのです。

　今までこの乙女達は悩みや問題を抱えていましたが、それがすっかり解決して、快楽に酔いしれている状態であるといえます。

　しかし、聖杯の中の美味しいお酒や周りに溢れる豊富な量の食べ物に夢中になっている彼女達は、過度に物質的・感覚的な快楽に浸っていて、精神的な成長には無頓着です。快楽をむさぼりすぎた後に訪れる空虚さや、健康を害するなどのトラブルに見舞われた時に、物質的な快楽にツケを払う必要があることに気がつくのです。

聖杯3　III OF CUPS

	●正位置 のイメージフレーズ	●逆位置 のイメージフレーズ
①全体運	楽しく心が弾む時間 悩みやストレスから解放される 無邪気に明るく振る舞う	遊びや快楽に溺れる 感覚的快楽を求める 遊びすぎからくるダメージ
②恋愛運	異性からチヤホヤされる 先を考えない軽いノリの恋 異性と楽しい時間を持てる	複数の異性と同時に交際する 異性から遊びの対象に見られる
③仕事運	朗らかなムードが漂う職場 楽しいイベント的な仕事 仕事の集中力に欠ける状態	雑談や雑念が多く集中できない 遊び半分で取り組む仕事 サボり癖が出る
④金　運	楽しいショッピングやグルメ 美容や服飾品の購入の成功 レジャーで散財する	レジャーで派手に散財する かかりすぎる飲食費 節操のない金銭感覚
⑤その他 　健康運	活発な友達運とレジャー運 飲みすぎ食べすぎの傾向 生活習慣病の気配	極端な食べすぎ飲みすぎ 乱れた生活リズム 生活習慣病にかかる 望まない妊娠

聖杯 4

IV OF CUPS

　男性が木の下で胡坐を組み、草の上に並べ三つの聖杯を凝視しています。この三つの聖杯は、既に彼が手にしているものです。それは高価なワインの場合もあり、人からの好意の場合もあります。それでも腕組みをして冴えない表情をしている彼は、その恵まれた状況に満足しているわけではありません。むしろ不満や倦怠感を抱えているのです。

　そんな状況の中で、彼の横から小さな雲が湧き出し、そこから出てきた手が、彼に四つ目の聖杯を手渡そうとしています。彼は黙っていても、さまざまなものを提供される環境にいるのです。彼はその四つ目の聖杯を不服として、受け取ろうとはしません。その中にも他の聖杯と似たものが入っているため、彼は新鮮味や感動を味わえないのです。

　このカードは、恵まれた環境の中にいる時の倦怠感や、その環境への不服感を示しています。人間の真の幸福は物質的な量の中にはなく、どんな状況の中でも新鮮でイキイキと輝く精神の中に存在しているのです。

	正位置 のイメージフレーズ	逆位置 のイメージフレーズ
①全体運	変わらない状況への倦怠感 贅沢に慣れた状態 ワガママからくる不満	新しい展開が訪れる 倦怠していた状態が動く 新鮮さを感じる日々
②恋愛運	今の恋に不満を感じる 変化のないマンネリな恋 退屈さや疲れを感じる恋	新しい出会いによる恋 新しい動きが出てくる恋 マンネリな恋を断ち切る
③仕事運	変化ない状況に嫌気が差す 成果が出ても満足できない 過度なストレス	新しい事業が起こる マンネリな状況を改革する やり甲斐が出てくる
④金　運	お金には困らない状態 お金の有難味が感じられない 変化のない収入額	新しい収入源が見つかる お金を有効利用する 買い物が楽しくなる
⑤その他 健康運	スッキリしない体調 改善しない健康状態 偏った食生活	身体の不調な部分が回復する 身体の動きが軽くなる ダイエットの成功

聖杯4　IV OF CUPS

聖杯 5

V OF CUPS

　暗い色のマントを羽織った男性が、落胆した様子で立ち尽くしています。彼の足元には横倒しになった三つの聖杯が転がり、色鮮やかな中身の液体がすっかり流れ出てしまっています。この聖杯の中の液体は、彼が今まで手にしていた大切なものでした。男性はこの空になった聖杯を見て、多くのものを失ってしまったことを、ひたすら嘆き悲しんでいるのです。

　しかし彼の背後には、まだ二つの聖杯が立ったままで、中身が残されています。彼はそのことに全く気づかず、ただ倒れた三つの聖杯にばかり意識を向けて、嘆き悲しんでいます。すっかりうつむいてしまっている彼は、その残された二つの聖杯に気づくまでには、まだ時間がかかります。

　目の前に流れる川の向こうには、彼の所有物である小さな城があり、川にはその城に続く丸い橋がかかっています。彼にはまだそれなりの財産と帰る土地があり、望みが残されている状態なのです。

聖杯 5　V OF CUPS

	正位置 のイメージフレーズ	逆位置 のイメージフレーズ
①全体運	半分以上の損失 失ったものに執着する 過去にこだわる 遺産に関すること	ほのかな希望が出てくる 失われた喜びが戻ってくる 再会する 祖先に関すること
②恋愛運	肩の力を落とす恋の出来事 異性に振り向いてもらえない 恋を続ける意欲を失う	絶望の中から恋の希望 長所が増えてくる交際 消えていた愛情の再燃
③仕事運	達成できない仕事の目標 能力不足を実感する 仕事への意欲を失う	就職・転職活動で朗報 過去の失敗を少し取り戻す 良い形で復職する
④金　運	予想より少ない収入額 無駄な散財を後悔する 買い物の失敗	失ったお金が少し戻ってくる 失った収入源を取り戻す 少しの遺産が入る
⑤その他 健康運	思わしくない健康状態 健康保持のための犠牲 栄養不良状態	体調が少し回復する 希望が出てくる健康状態

聖杯6
VI OF CUPS

　古い建物が並ぶ庭園の中で、二人の子どもが仲良く遊んでいます。道化師のような格好をした少年が、年下の少女に花が飾られている聖杯をプレゼントしている場面です。庭園の中には他にも五つの聖杯が並べられ、すべての聖杯の中に、純真さを示す白い花が咲いています。遠くの道には背を向けた戦士が歩いており、決して平和な時代ではないことがうかがえます。

　これは現在進行している場面ではなく、記憶の中に温められている過去の一場面です。この少年もしくは少女が今はすっかり大人になり、子どもの頃の出来事を回想しているのです。その記憶は非常に温かく、そして懐かしくよみがえり、心を温めてくれています。

　聖杯のスートが示す四元素の水は、時間的には過去を司ります。各スートの6は四元素が調和したポジティブな形を示し、そのため比較的ネガティブな印象で捉えられやすい「過去」という意味が、この「聖杯6」で穏やかな意味となって使われていると想定できます。

正位置 のイメージフレーズ / 逆位置 のイメージフレーズ

①全体運
- 過去の思い出に浸る
- 過去の出来事が幸福を招く
- 過去からの影響

- 訪れる新しい未来
- 新たな出来事が起こる
- 過去への執着が払拭される

②恋愛運
- 過去の恋を心で温める
- 復縁願望を抱え続ける
- 空想に耽り現実味のない恋

- 新しい恋で過去を吹っ切る
- 昔の恋人と復縁するチャンス
- 恋愛観が変わる

③仕事運
- 過去の実績による好影響
- 過去の仕事と縁ができる
- 人に優しさを与える仕事

- 未体験の職種に取り組む
- 新事業を提案される
- 過去の失敗が解消される

④金運
- 貯蓄や買った物が役立つ
- 贈り物をしたりされたりする

- 過去の借金を返済できる
- 物の買い替えの成功
- 意外な臨時収入を得る

⑤その他 健康運
- 穏やかな健康状態
- 過去の闘病生活が役立つ

- 過去からの病が完治する
- 病院を変えて良い結果を得る

聖杯 7
VII OF CUPS

　逆光で黒い影になっている背を向けた男性が、雲の中に浮かぶ七つの奇妙な聖杯を、当惑しながら見つめています。聖杯の中には布で隠された人物、女性の頭、蛇、城、宝石、勝利と栄光の象徴の月桂冠、小さな悪魔が入っており、それらはすべて、この男性が日頃から求めていたり、恐れていたりするものです。

　これは夢の中のような、この男性の幻想のシーンです。彼は空想や瞑想を好み、現実を直視することができません。幻想や空想の世界の中で自分の願望を満たし、満足感を得ているのです。ですから幸福感を得ているという点では成功者であるといえますが、決して真の成功者ではありません。すべてが一時的な成功であり、一時的な快楽なのです。ただ一瞬グラスに写っただけのような瞑想中に訪れるイメージやビジョンは、現実世界に何の影を落とすこともなく、呆気なく消えてしまいます。

　それでもこうした幻想は、現実世界に疲れた人にとっては必要な世界であるといえます。

	正位置 のイメージフレーズ	**逆位置** のイメージフレーズ
①全体運	空想の世界に浸る 曖昧な思考と状況 迷いが多く決断できない状態	ハッキリとした現実的思考 的確な決断を下す 具体的な行動を起こす
②恋愛運	自分の気持ちがわからない 素性のわからない異性 迷いから抜け出せない恋	異性への不安が解消 現実味を帯びてくる恋 現実を見据え進めていく恋
③仕事運	夢や希望が曖昧な状態 やりたい仕事が見つからない 雑念が多く集中できない	具体的な計画を立てる 迷いが消えて決断を下せる 仕事の目標が明確になる
④金　運	無計画にお金を使う傾向 欲張りでお金が足りない 不安定な収入	お金を無駄なく使える 欲しい物がハッキリ見えてくる
⑤その他 健康運	原因不明の体調不良 思い込みが体調を崩す 健康管理に無頓着な状態	身体の不調の原因がわかる 計画的に健康を管理する 的確な治療を受ける

聖杯 8
VIII OF CUPS

　海辺に並べられた八つの聖杯に背を向けて、男性が杖をつきながら去っていく姿が描かれています。この八つの聖杯は、それまで彼が大事にしてきた物事を象徴しています。それは大きな事業の場合もありますし、多くの人間関係の場合もあります。そうした物事を長いこと手間暇かけて育て上げてきましたが、今の彼にとって、それらは自分にとって何の意味も持たない無用のものとなってしまいました。彼はすべてを一気に捨て去る決断を下し、少しも未練を残すことなく、潔く離れて歩き出したのです。次は、遠くにそびえる山の上を目指していくかのようです。

　この男性は背を向けてかがんでいることから落胆しているように見えますが、それは実際に彼の表情を見なければわかりません。何かを手放すのですからもちろん落胆している場合もありますが、ときとして全く新しい世界へ旅立つことに希望を燃やし、表情が明るく光り輝いている場合もあるのです。

	正位置のイメージフレーズ	**逆位置**のイメージフレーズ
①全体運	古いものを捨て去る 続けてきたことを断念する 別の世界へと旅立つ	大きな喜びが訪れる 祝杯するような出来事 何かを最後までやり遂げる
②恋愛運	無意味な交際に終止符を打つ 完全に冷める愛情 頑張り続けた恋の見切り	頑張りが実り喜ぶ 新しい恋が始まる 結婚の話がまとまる
③仕事運	築いてきた成果を捨て去る キャリアを捨てる 全くの異業種へ転職する	長い期間の努力が成果となる 根気良く仕事を続ける 社内で表彰される
④金　運	貯蓄をするのを諦める 口座や積立貯金などの解約 集めていた物を捨てる	大きな贈り物が届く 棚ボタ的に大金が手に入る
⑤その他 　健康運	続けていた健康法を止める 健康管理への関心を失う	根気よく健康体を築く 健康食品などを入手する

聖杯9
IX OF CUPS

　立派な服を着た裕福で善良な男性が、満足げな表情で座っています。彼は豪華な食事をご馳走になったところで、胃袋と心はすっかり満たされています。その彼を囲むように、椅子の後ろにはアーチの形をしたカウンターがあり、そこには聖杯に入った9杯ものワインが並べられています。これは現在だけではなく、彼が未来も引き続き満足した生活を送れることを保障していることを示しています。

　「聖杯9」は「ウィッシュカード」と呼ばれ、それを意識して占った場合に、どの位置にこのカードの正位置が出ても、「願いが叶う」と読み取れます。逆位置で出た場合も願いが叶うと読めますが、その叶い方は弱く中途半端になります。

　一見物質的な豊かさを示すカードに見えますが、聖杯のスートがすべて精神的な動きを示すことから、物質面だけではなく、精神的にも豊かであることを指し示しています。彼は真の満足感と幸福を得た人物であるということです。

	● 正位置 のイメージフレーズ	● 逆位置 のイメージフレーズ
①全体運	豊かで満足できる状態 物質的・精神的な満足 願いや希望が叶う	贅沢からくる不満 止まらない欲求 何事も過剰な状態
②恋愛運	恋の願いが叶う 愛されている満足感 豪華なデートを楽しめる	欲求が多く不満ばかりの恋 自信過剰が恋の障害になる 異性にワガママに振る舞う
③仕事運	大きな成果を出し満足する やり甲斐のある仕事に携わる 豊富な仕事量	不満を感じる仕事内容 能力を過信して失敗する 満足できる成果を得られない
④金　運	満たされた財政状態 順調に財産を築く 大金を入手する	手元の金額に不満を感じる 物欲が止まらない状態 収入額を上回る支出額
⑤その他 　健康運	満足できる健康状態 食べすぎと肥満の傾向	糖分や脂分の摂りすぎ 暴飲暴食 体重が増える

聖杯9　IX OF CUPS

聖杯 10
X OF CUPS

　快晴の空には大きな虹が輝き、その中に 10 個の聖杯が並んでいます。その奇跡的な景色を発見した若い夫婦が空を仰ぎ、男性は左手を、女性は右手を空に向けて高く掲げ、驚きと歓喜の目で鮮やかな虹を見つめています。

　その夫婦の近くには、二人の子どもが手を取り合って、スキップをしながら遊んでいます。子ども達は空の虹には気がついていませんが、両親とはまた別の方法で幸福感を味わっています。見ている方向は違っていても、家族が皆幸福であることに変わりはないのです。緑と澄んだ水が溢れる土地の中に見える住居が、この家族が穏やかで安定した生活を送っていることを示しています。

　各スートの 10 と同様に、「聖杯 10」は、四元素の中の水が示す愛情が完成された状態を示しています。「聖杯エース」で湧き出した純粋な愛情が次第に具体的な形になり、最終的には幸福な家族愛という段階に行き着き、完成を見せたのです。

	正位置のイメージフレーズ	**逆位置**のイメージフレーズ
①全体運	家族愛に満たされる 家族との絆が強まる 平和でアットホームなムード	家族内の不幸やトラブル 平和なムードが崩される 孤独感を味わう状況
②恋愛運	平和で幸福な交際 家族ぐるみの交際 結婚が成立する	心が通い合わない恋 なかなか会えない交際 結婚にまで進まない恋
③仕事運	協調し合える仕事仲間 社会に平和を与える仕事 家族を幸せにする仕事	職場で孤独感を味わう 社会に役立たない仕事 家族に喜ばれない仕事
④金　運	穏やかな経済状態 順調な家計のやり繰り マイホームを手に入れる	波乱の多い経済状態 家族をギスギスさせる家計 切りつめる必要のある生活
⑤その他 　健康運	家族全員健康に過ごせる 心身の病が完治する	家族と衝突し体調を崩す 完治しにくい心身の病 陽光を浴びるとよい

聖杯ペイジ
PAGE OF CUPS

　色白で金髪を持つ少年が、静かに波打つ海辺に立っています。彼はロマンチストで夢見がちな性格を持ち、一人でジッと手にした聖杯を見つめています。その聖杯の中から小さな魚が顔を出して彼を見つめ、彼もその魚を興味深く凝視しています。その魚は現実世界にいる実際の魚ではなく、この少年の心の中の映像が形になった姿です。まるで魔術師や呪術師のように、彼は心の中の映像を操ることができるのです。

　瞑想や熟考が好きで豊かな感性を持つ少年ですが、それと同時に勉強熱心で、頭の回転が速い人物です。各スートのペイジは伝達者という意味もありますが、四元素の水を司る「聖杯ペイジ」は、家族や恋人など愛情に関する情報を中心に伝達する働きを持ちます。

　この「聖杯ペイジ」はすべてのペイジの中で一番幼いムードを持ち、そしてどこか女性的です。そのため占った時に「聖杯ペイジ」が出ると、男性ではなく女性のことを指し示す場合が多々あります。

聖杯ペイジ　PAGE OF CUPS

	● 正位置 のイメージフレーズ	● 逆位置 のイメージフレーズ
①全体運	純粋で無邪気な精神状態 甘えたり甘えられたりする 豊かな感性や直感力	幼さや未熟さによる失敗 周りに甘えすぎる状態 感情に押し流される傾向
②恋愛運	異性に甘えられる交際 かなり年下の異性 アイドル的な人気を得る	異性や恋愛に依存する状態 甘えすぎて異性を困らせる 将来性ない感情的な交際
③仕事運	部下や後輩が力を貸してくれる 見習いの状態 感性を活かせる仕事での成功	気分が成績を左右する 人任せで才能を発揮できない 足を引っ張る部下や後輩
④金　運	才能を活かしてお金を稼ぐ お金に無頓着な状態 お金が貯まりにくい状態	気分のままに浪費する いい加減な金銭管理 人にたかろうとする
⑤その他 　健康運	子どものように無垢な人物 落ち着いた健康状態 身体の冷えに注意	幼く他人任せの人物 芯が弱く崩しやすい体調 循環器や泌尿器の不調

聖杯ナイト
KNIGHT OF CUPS

　このカードに描かれているナイトは戦闘を好まない、優美で繊細な性格です。どのスートも乗る馬の表情がナイトの本質を表していますが、彼が乗っている馬の表情も優しく穏やかで、歩調も落ち着いていて静かです。彼が身につけている翼がついたヘルメットと靴は、同じく翼がついた帽子と靴を身につけていたヘルメス神と関連があり、このナイトが神々からの恩恵を受ける高い状態にあることを暗示します。また、優美であるだけではなく、ヘルメス神と同様に、頭の回転が速くて軽いフットワークを持つ人物であることもわかります。

　四元素の水を司る聖杯の中には水＝愛情が入っており、このナイトは愛情を渡すべき者のところへ、愛情を象徴する聖杯を持ち進んでいるところです。彼は戦いで勝利を収めることより、愛を確かめることに有意義さを感じるのです。

　しかしこのカードの悪い面が出ると、ヘルメス神が持つ悪知恵や二枚舌、詐欺など、狡猾な性質が前面に押し出されてしまいます。

聖杯ナイト　KNIGHT OF CUPS

	● 正位置 のイメージフレーズ	● 逆位置 のイメージフレーズ
①全体運	ロマンチックな出来事の接近 大事な人のために行動する 温かい援助を得る	甘言に惑わされる 嘘をついたりつかれたりする 大切な物事が離れていく
②恋愛運	素敵な男性の接近 （男性の場合）告白の成功 ロマンチックな恋の到来	男性側が離れていく恋 甘言に乗せられて失敗する 信用できない異性
③仕事運	誠意のある協力者が現れる 良い仕事が入ってくる テンポよく順調に進む仕事	大事な協力者が離れていく 信頼できない客や取引先 裏のある仕事の話が入る
④金　運	心の込もった贈り物が届く 金銭面の援助者が現れる 順調な入金や支払い	裏のある儲け話が入ってくる 甘言に騙されてお金を損する 異性に貢いで損をする
⑤その他 　健康運	ロマンチストで優しい人物 良い健康情報が入る 良い医者に恵まれる	策略家や詐欺師 徐々に崩れる健康状態 良い医者に恵まれない

聖杯クイーン
QUEEN OF CUPS

　色白で金髪の美しい女王が、このスートに出てくる他のどれよりも豪華な翼のついた聖杯を掌の上に持ち、まるで夢想をするかのように、その聖杯を凝視しています。この女王は夢見がちではありますが、ただそれだけではなく、自分の夢やロマンを盛り立てるために行動を起こすことを忘れません。富や権力には無関心で、善良で献身的で良妻賢母型の性格を持つ、各スートのクイーンの中で一番女性らしい柔らかさを持つ人物なのです。それは聖杯が司る四元素の水は、女性性を示すことからもわかります。

　聖杯のコートカードの人物は、すべて水辺にいます。クイーンは、その中のペイジやナイトに比べると、足が浸りそうなほどの近い水辺に王座を置いて座っています。それはクイーンがそれだけ強く水の性質を持つ、つまり深い愛情とロマンチックな感情を持つ女性であることを示しています。しかしそれが悪く出ると、感情的で気まぐれな女性になってしまいます。

聖杯クイーン　QUEEN OF CUPS

	▌正位置 のイメージフレーズ	▌逆位置 のイメージフレーズ
①全体運	優しく献身的な感情 ロマンチストで夢見がちな状態 魅力が高まり幸福を得る	感情に振り回されて失敗する ヒステリー気味の精神状態 不名誉な思いを味わう
②恋愛運	女性側が献身的に尽くす恋 （男性の場合）女性から愛される （女性の場合）魅力が高まる	女性が男性を振り回す交際 空想ばかりで動けない恋 重い感情が抜けない恋
③仕事運	女性の援助を得て成功する 女性と関わる職種 感性を活かして成功する	公私混同して冷静になれない ワガママな女性の邪魔 不名誉な出来事
④金　運	安定した経済状態 金銭よりも愛情を選ぶ状態 高価な物を入手する	抑制が利かずに浪費する 美容や趣味にお金をつぎ込む 金銭感覚が麻痺した状態
⑤その他 　健康運	深い愛情を持つ女性 落ち着いた健康状態 婦人科系がやや不調	気まぐれでワガママな女性 婦人科系の不調 身体の冷えが病を招く

聖杯キング
KING OF CUPS

　白い肌と金髪の王が、儀式に用いる式帽をかぶり、左手には権威を示す笏を、右手には聖杯を持ち、海の上に据えられた王座に腰かけています。カードを正面から見て、王の右側には帆を張った船が通過し、左側ではイルカが大きく跳ねています。

　聖杯が四元素の水を示し、水は女性性との関わりが強いことから、この「聖杯キング」は威厳のある王でありながらも、女性的な感性や感覚を兼ね備えている情緒豊かな人物であると判断できます。その証明として、王座は他のスートのキングのものに比べると丸味があります。四角形が物質的なものを象徴するのに比べ、丸味のある椅子は精神性が強く柔軟性がある状態を示します。また、この王座が海の中に据えられており、周囲を豊富な海水に囲まれていることからも、この王が水の持つ愛情や感受性の要素を強く持っていることがわかります。

　ただし、その分合理性がなくなり、悪く出ると感情だけで物事を判断する不平等な人物にもなりかねません。

聖杯キング　KING OF CUPS

	正位置のイメージフレーズ	逆位置のイメージフレーズ
①全体運	人情を持ち親切に振る舞う 包容力を発揮する 大事な人達を守る	不正と悪事を行う 平気で嘘をつく スキャンダルに巻き込まれる
②恋愛運	男性が頼られながら進む交際 男性側の愛情が深い恋 結婚にまで進む交際	男性側が不誠実な交際 男性側主導の交際 その場の感情だけで進む恋
③仕事運	高く安定した地位を築く 感性を活かせる芸術的な仕事 リーダーシップを取る	不正を使って成功を求める 裏工作のある仕事 信用できない客や取引先 いい加減な上司
④金　運	豊かで安定した経済状態 金銭より人情を優先する 周りに金銭的奉仕をする	裏工作を通して得をする 不正や詐欺に関わる お金を騙し取られる危険性
⑤その他 健康運	厚い人情味を持つ親切な男性 安定した健康状態 下半身の冷えに注意	不誠実で嘘つきな男性 循環器や泌尿器の不調 身体の冷えに注意

Column.1

タロットと西洋占星術

　タロット占いは、基本的に3ヶ月後程度の未来の結果が出やすいといわれ、かなり集中して占った場合であっても、数年先の未来を出すことが限度だとされています。そして占う未来が近いものであればあるほど、的中率はアップします。つまり数年先の状態を占うよりも、今日1日の運勢を占う方が、当たりやすいということです。

　ですからタロット占いでは、生涯を通した運勢を占うことができません。そのためプロの占い師は、クライアントからのさまざまなニーズに対応するために、タロット占いの他に命術という生年月日を使って鑑定結果を出す占術も同時にマスターしている場合がほとんどです。西洋占星術や四柱推命、九星気学、数秘術などの命術は、その人が生まれ持っていて簡単には変わらない性格や運勢を示し、数十年の長いスパンや生涯の運勢を占うのに適しています。ですからタロット占いと一つの命術をマスターすれば、ほとんどの相談内容がカバーできるようになるでしょう。特にカードの絵柄に星座のマークが取り入れられているなど、西洋占星術はタロットとの相性が非常に良く、この二つの占術を組み合わせて使用している占い師が大半です。タロット占いだけでは飽き足らなくなってきたのであれば、ぜひ命術にも手を伸ばしてみてください。

　プロであれば、タロット占いのみをマスターしている場合に弊害も出てきます。例えば、雑誌などによく掲載されている「今月の星座占い」。星座占いと銘打っているからには、西洋占星術で占う必要があります。しかし、昔からこの星座別運勢をタロットのみで占い執筆している方を時々見かけます。単純に西洋占星術が使えないためですが、命術とは違い、タロットで大多数の人の運勢を一気に占うことはできません。特にプロを目指す場合は、仕事の活動の幅を広げ、タロットを正しく使うためにも、命術のマスターは必須であるといえます。

II

Tarot Q & A

タロット占いQ＆A

いざタロット占いをはじめてみると、ちょっとしたことで悩んだりすることも多いかもしれません。本章では前著、『はじめての人のためのらくらくタロット入門』と『続　はじめての人のためのらくらくタロット入門』の読者から寄せられた質問をベースに、実際にタロット占いを始めた方が迷いやすい事項をQ＆A方式で取り上げていきます。是非、参考にしてみてください。

Q.1

「そもそもタロット占いに適する質問と適さない質問の違いについて教えてください」

A.1 この世界は、目に見える世界と目に見えない世界に分けることができます。目に見える世界に属するものの具体的な例を挙げると、五感を使って確認することができる「物質」、そして物質を購入するなど現実的な生活に直接影響を与える「お金」があります。また、「数」や「言葉」など目や耳で確認できるものも、目に見える世界の方に属します。逆に目に見えない世界に属するものの例を挙げると、「感情」や「運気の善し悪し」、「未来への流れ」などがあります。

基本的にタロット占いは、目に見えない世界を占うことを得意とする占術です。ですから箱の中に隠されたビー玉の数が何個あるか、というような物質に関する問いに的確な回答を出すのは不得意ですが、ある人物がある出来事に対してどんな感情を持っているか、というような、目に見えない領域に関する問いに答えを出すことは得意とします。それもかなり深い部分まで読み込むことが可能です。

かといって、決して目に見える世界のことを占えないというわけではありません。しかし的中率は下がりますから、そんな時は、目に見えない世界を上手に絡ませて占うようにしましょう。

例えば、職場の同僚が、自分の陰口を上司に言っていたという噂を耳にして、「本当に言ったのか」ということをタロット占いで知りたいと思ったとします。陰口は「言葉」という、現実的な目に見える世界の領域です。その場合に1枚引きで、「あの人は陰口を言ったか」をズバリ出そうとするよりも、「上司は、同僚が私の陰口を言ったと思っ

ているか」という、人の気持ちという見えない世界の領域を通してカードを引くようにすれば、的中率は上がります。またその場合、引くカードは1枚だけではなく、「上司がその陰口に対してどんな印象を持ったか」とか「その陰口を信じているのか」など、人の気持ちを通してさまざまな角度から数枚引くことにより、陰口の状況を具体的に把握することも可能です。

　また、目に見える世界ということから、基本的には金運も占いにくい事柄です。「来月の収入はいくらになるか」という具体的な数字を出そうとするよりも、「自分は来月、収入に関してどんな感情を持つことになるか」という、やはり見えない世界を絡ませて占った方が判断を下しやすく、的中率がアップします。

　ただし、数字や言葉を含めた目に見える世界を占う場合であっても、タロット占いに熟練したり、占う際にかなり集中したりすれば、的確に回答を出すことは可能です。

　その他には、回答範囲が広すぎる漠然とした質問も、タロット占いに適さない質問になります。例えば、お金に関して占う場合、「今後の金運を知りたい」という問いでは漠然としていて回答範囲が広くなりすぎてしまい、カードを的確に読み取ることができません。もし漠然とした質問のまま占い、最終結果に「力」の逆位置が出たとしたら、「何だかお金に対して気弱になりそうだ」という、「良い」か「悪い」程度の大まかな回答しか導き出せなくなってしまいます。

　ですからタロット占いの質問事項は、「イエス」か「ノー」で答えを出せる形にまで、絞り込むことが大切です。金運を占うのであれば、「来月は、今月の収入額を上回るだろうか？」とか、または「あの会社の支払いは、今月中になされるだろうか？」というように、質問の焦点をしっかりと絞って占うようにするのです。その方がタロットカードも的確な回答を出しやすくなり、読む方としても楽になり、なおかつ具体的な回答を得ることができるのです。

次に、占う際にタブーとされる質問事項について説明したいと思います。

　タロット占いは、人間が持つ意識よりも、神や宇宙などのより高次の世界とつながり、そこから回答をもらうという占術です。そのため欲深さや腹黒さなど、人間が持つ次元の低い意識に対しては反応せず、それなりの対処をします。

　人間が持つ次元の低い意識の中には、「金銭欲」や「嫉妬心」、「功名心」、「攻撃心」、「復讐心」、「怠け心」などがあります。ここで挙げた意識に共通しているのは、「自分さえ良ければそれでいい」という感情です。金銭欲であれば、たくさんのお金を手に入れて楽をしたい、遊んで暮らしたいという感情です。嫉妬心であれば、嫉妬している人よりも自分の方が優位でいたい、相手が幸せなのは許せないという感情です。功名心であれば、自分だけ周りから抜きん出て、多くの人に注目されたい、チヤホヤされたいという感情です。

　ですからタロット占いでのタブーの質問事項として、こうした「自分さえ良ければそれでいい」という感情が絡んだ質問が挙げられます。例えば、「宝クジで一等賞を当てるためには、どうすればいいですか?」とか「恋のライバルと意中の異性との関係は、いつか壊れますか?」、「同僚よりも自分の方が先に出世できますか?」などです。占って全く答えを出さないわけではありませんが、いつ占っても自分にとってネガティブな結果しか出ないなど、どこか見当違いな結果や対策になる可能性が高いのです。

　しかし金銭面では、「宝クジでたくさんのお金を手に入れたら、福祉施設を作りたい」など、人のためにお金を投資したいという場合もあるかもしれません。それでも「楽をしてお金を手に入れたい」という感情は同じであり、タロット占いでは却下されがちです。たとえこうした場合であっても、自分でコツコツ稼いで貯めたお金を使うことに意義があるのです。

逆にタロット占いでキチンとした回答が出やすいのは、「自分だけではなく、周りも幸せにしたい」という内容の問いです。高次の世界は、自分の欲が薄く広い視野を持つ人に対して、多大なる力を貸してくれるのです。

　その他にタブーとされる質問事項は、死に関することや試験前に試験の合否を占うことも挙げられます。試験を受ける前に占うと、その占いの結果が試験に悪影響を与えてしまう場合があります。例えば、「このまま進めば合格する」と出た場合、質問者はすっかり安心してしまい、パッタリと勉強をしなくなるかもしれません。逆に「このままでは合格しない」と出た場合、それが奮起につながる分には問題ありませんが、そこで気落ちして、勉強への意欲を失ってしまう可能性も考えられます。占うことにより、その人が持つ流れが大きく変わるのです。試験が終わった後に占う分には大きな問題ありませんが、わざわざ占わなくても、結果はいずれ現実を通してハッキリとわかることです。ですから試験に関することは、それが真剣な試験であるほど占わない方がよいのです。

　また、本書では各カードのところに念のため健康に関するイメージフレーズも記載していますが、健康に関する質問も、占いに頼りすぎるのはお勧めできません。健康は目に見える世界に属しますから、タロット占いでは不得意な分野です。占いの結果はあくまでも参考程度にして、キチンと現実的に、病院で診察してもらうことが必要です。

Q.2

「占い途中のタブーを教えてください」

A.2 タロット占いは柔軟性のある占術ですから、占っている途中に関しては、「絶対にこうしてはダメ」というような縛りはあまりありません。例えば、ある質問について念じてカードを混ぜているうちに、ふと別の質問が頭の中に浮かび、途中からそちらの質問に切り替えてしまった……という場合も時々あるパターンですが、特に問題はありません。

ただ、この場合は前の質問に関する念が少し入っていますので、さらに新しい質問に関してしっかりと念じて、少し長めにカードをシャッフルするように心がけましょう。途中で占いをすること自体を止めてしまうのも、特に問題はありません。

また、シャッフルしている途中や展開する前にカードをひっくり返して見てしまうのも、特にタブーというわけではありません。実際にその偶然見たカードが、その占いの鍵になっている場合も多々あります。しかし、頻繁にひっくり返して見るのは混乱の元になりますから避けましょう。

問題なのは、シャッフルしている時に頭の中に浮かべていた展開法と違う展開法で、カードをスプレッドしてしまうことです。せっかく頭の中に浮かべていた展開法の形に出るようにカードが並んでいたのに、それを変えてしまっては、占い結果が無効になります。その場合は展開したカードをまた順番通りに元のカードの山に戻すか、それが難しければ、もう一度シャッフルして占い直してください。

また、カードを表に開く時に縦にクルッと回してしまい、正逆の向きがひっくり返ってしまうのも、占いの結果を大幅に狂わせます。そうならないよう、本をめくるように横から表にカードを開くように意識しましょう。

次に、一人占いではなく、他人を占う場合のタブーを説明したいと思います。

他人を占ってあなたが結果を読み伝える場合は、言葉をよく選ぶように心がけてください。占いの結果で一喜一憂する人は非常に多く、少しでもネガティブな言葉を出すと、落ち込む人が大半です。ですから、たとえ結果が思わしくなくてもキツイ言葉でズバッと言わずにカードの中からその問題点の長所と対策を探し出し、それを強調しつつ、やんわりと「このまま進むとこうなる」という結果を伝えるように心がけましょう。

また、タロットカードを無関係な人に触らせるのはタブーとまではいかないものの、その人の念が入ってしまうために、あまり好ましいことではありません。そのため自分の手から完全に離して長時間貸し出してしまうのは、タブーであるといえます。

しかし、他人を占う時に相手の念を入れるために、占う相手に一時的に触らせるのはOKです。

Q.3

「タロット占いに慣れてきたので、違う種類のタロットを使おうと思うのですが、何か気をつけた方がよい点はありますか？」

A.3 タロットカードは古今東西を合わせて数え切れないほどの種類が出回っていますが、それぞれの種類によって絵柄が違うのはもちろん、解説書などに記載されているカードの意味が、微妙に違っている場合も多々あります。カードの作者が考えた意味が、

そのカード専用の意味であると思ってよいでしょう。

　ですからタロットの種類を変えた場合は、各カードについている解説書に書かれた占いの意味を参考にするか、そのカードの絵柄から出るイメージやインスピレーションを大切にしながら読み取ってください。

　ただし、もし頭の中で自分流でのカードの読みが決まっていて、それを急に変えるのが困難であれば、タロットの種類を変えた後も、今まで使っていたタロットと全く同じ読みをしても問題はありません。その際には、「今までのタロットと同じ読みをする」ということを意識しながら占ってください。特にシャッフルする時に、カードにそう念を入れておくとよいでしょう。そうすれば、今までのタロットと同じ読みでも意味が通じる形にカードが展開されるはずです。

　占う人の気持ちや考えを汲み取ることができるタロットカードは、それほどの柔軟性を携えているのです。

Q.4

「絵柄の意味を深く読みたいのですが、どうすればよいですか？」

A.4　この本で、各カードの絵柄の説明を記載しています。ですからウェイト版のタロットに関しては、その説明の内容を頭の中に入れておくだけでも、ある程度絵柄を読み込めるようにはなるでしょう。

　それ以外の、絵柄を深く読み込む方法を記載します。占いでカードをスプレッドした時に、1枚1枚のカードをゆっくりと見つめてみてく

ください。その時に、絵柄がいつもとは少し違うムードに見えることがあり、それがその占いに対して送っているメッセージになります。

例えば、いつもいかつい表情に見える「剣クイーン」が、今回の占いに限っては少し柔らかい表情をしているように見えたり、「金貨キング」の表情の重苦しさが、妙に気になったり……と、特に絵の中の人物の表情が普段と変わっているように見えて、それが占いの結果に上手に脚色をしていることが多々あります。このたとえの柔らかい表情に見える「剣クイーン」の場合は、いつも冷たいと思っていた女性が、実は内心ではあなたに好感を持っていることを示している、という感じで、占う内容に沿って判断できます。

人物の表情以外でも、例えば、「聖杯クイーン」が持っている聖杯のゴージャスさが目に飛び込んできたり、「聖杯6」に描かれた少年が昔のボーイフレンドに見えてしまったり、「剣9」の布団の絵柄の中にあるマークの中で、魚座のマークだけが妙に目立つように見えたりなど、枚挙に暇がありません。

そうした普段の絵柄とは違うムードを見せている場面があれば、それを気のせいなどとして見逃さないようにしましょう。そのためには、絵柄を長時間じろじろと見つめたり、頭の中であれこれと考えすぎたりせずに、ピンとくるヒラメキや、自然と頭の中に入ってくるムードを大事にすることがポイントです。

Q.5

「1枚〜3枚程度ではない、多数枚スプレッドをリーディングする際のコツを教えてください」

A.5 タロット占いに慣れないうちは、展開した順番や過去から未来に沿って、1枚ずつ順序通りにカードを読んでいくとよいでしょう。しかしある程度慣れてきたら、以下の点に気をつけながら、読む順序を変えてみることがお勧めです。この順序の変え方には、さまざまなパターンがあります。

まずは、各カードが持つパワーの強さを基準にして、読む順番を変える方法です。カードを展開し終わったら、スプレッドの中の大アルカナがどこに出ているかをチェックします。大アルカナは小アルカナに比べるとはるかに強いパワーを持っているため、スプレッドされたカードの中で、特に強い意味を持ちます。ですから大アルカナがある位置を優先しながら、読み進めるようにしてください。

ちなみにタロットカードのパワーが強い順序は、大アルカナ→小アルカナの各エース→小アルカナのコートカード（各キング→クイーン→ナイト→ペイジ）→小アルカナの数札の 10 →9 →……→3 →2 となります。

大アルカナが多くスプレッドの中に出てくるなど、パワーが強いカードが多いほど、その問題は重大な問題となり、大アルカナがほとんどなく弱いカードが多く出ている場合は、その問題は質問者にとってそれほど重大ではない、という形でも判断できます。

2番目のポイントとしては、スプレッドの展開位置を、部門ごとにまとめながら読む方法です。例えば、「ケルト十字」であれば、質問者の現在の状態や心理を示すカードが5枚あります。まずはそれを統合

的に読み、質問者の状態を具体的に把握します。それから他のカードを合わせて読み進めていきます。

　全部で12枚のカードを展開する「変形ヘキサグラム」であれば、過去のカードが3枚、現在のカードが3枚、近い将来のカードが3枚出ているため、それらをまとめて読み、過去の状態、現在の状態、近い将来の状態を具体的かつ立体的に把握して、詳細な流れをつかみます。またこの展開法の場合、自分の状況や気持ちの過去、現在、未来の3枚、周りの状況や気持ちの過去、現在、未来の3枚もありますから、それらをまとめて読み、それぞれがどう流れて変わっていくのかをつかむこともできます。

　3番目のポイントとしては、似たムードを持つカードを探し、それをまとめて読む方法です。似たムードを持つカードは多々ありますが、たとえを挙げれば「金貨2」と「剣2」という、二つのものを扱っているという軽さのあるカード、「聖杯ナイト」と「聖杯キング」という、同じスート内のコートカード、「皇帝」や「棒2」という、社会的な成功を意味するカードなどがあります。こうした似たカードが複数枚出るということは、そのカードに関連した事柄が強く出ているということになり、これも占い結果を判断するときに重要なポイントとなります。

　4番目のポイントとしては、小アルカナのスートに注目する方法です。カードを展開し終わったら、四つのスートの中のどのスートが多いかを、ざっと見るようにします。「棒」のスートが多く出ているようであれば、感情的で情熱的に状況が進んでいくことを、「金貨」のスートが多ければ金銭・物質的な問題が多く絡んでいることを、「剣」のスートが多ければ、精神的な葛藤が多くて対人面でもギスギスとしたムードが漂っていることを、「聖杯」のスートが多ければ、愛情に関連した問題が多く絡んでいることを示すと判断できます。そして同じスートがどう組み合わさっているのかを見て、それをまとめて読み取ります。

　数種のスートが均等に出ていて偏りが少ないようであれば、このこ

とに関しては特に気にする必要はありません。

　このように、単純に展開した順番に沿ってカードを1枚1枚読み進めるのではなく、関連した事柄のカードを複数枚、まとめながら読んでいくように心がけるようにします。そうすれば、その質問に関する状況が頭の中で立体的に組み立てられ、リアルに思い浮かべることができます。

　最後に、過去や現在、未来、対策などの各位置を読み取る順番ですが、7枚を展開する「ヘキサグラム」などそれほど枚数が多くない展開法を含め、すべての展開法は、基本的には以下の順番で読み進めるとスムーズです。

　カードを展開し終わったら、まずは「近い未来」と「最終結果」のカードを見て、今後の流れがどうなっていくのかを素早く把握します。「最終結果」が重要なのはいうまでもありませんが、「近い未来」を合わせて、途中経過を含めた流れを見るようにします。それから未来の状況を頭の中に入れつつ「過去」、「現在」を順番に見て今までの流れを判断し、その後に「自分の状況や気持ち」、「周囲の状況や気持ち」などのその他の状況を見て、今現在の細かい状況を判断します。そして最後に「対策」のカードを見て、この問題にどう対処していけばよいかを判断して、鑑定を締めくくります。

　まとめると、「近い未来」→「最終結果」→「過去」→「現在」→「自分の気持ちや状況」と「周囲の気持ちや状況」→「対策」、という順番が、一番状況を把握しやすく読みやすいということになります。

Q.6

「悩みによってスプレッドを使い分けていきたいのですが、どのような区分けを考えるとよいのでしょうか？」

A.6

さまざまな展開法が公開されていますが、あれもこれもと覚える必要はありません。大体3〜4種類の展開法を覚えておけば、大抵の悩みはカバーできます。

具体的な悩み事を占う「ケルト十字」もしくは「ヘキサグラム」、全体的な運勢を占う「ホロスコープ」、本書では記載していませんが、二つのうちのどちらを選べばよいか、もしくは二つの事柄の進行を同時に占う「二者択一法」。基本的にはこの3〜4種類を覚えておけば十分でしょう。「二者択一法」は、ヘキサグラム法などで、「こちらを選んだらどうなるか」という問いに置き換えて占うことも可能です。

各スプレッドをどんな質問で使用すればよいかということは、209ページからのケーススタディのところで後述します。

Q.7

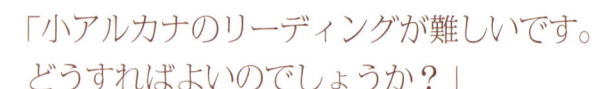

「小アルカナのリーディングが難しいです。どうすればよいのでしょうか？」

A.7 現在は、多くのタロットの小アルカナが、意味が読み取りやすい絵札となっていますが、昔は小アルカナはすべてトランプのような完全な数札の状態でした。例えば、「聖杯7」であれば、カードに七つの聖杯が並べて描かれているだけの状態です。そのため、完全に小アルカナの意味を暗記しなければならなかったのです。そして今現在でも、そうした形式のタロットが売られています。

絵札であれば、意味を暗記しなくても絵柄からある程度の意味を読み取ることができます。しかし棒や剣が並べられただけの数札状態のカードを買ってしまったら、ある程度カードが持つ意味を暗記しておかなければなりません。その場合には、各スート（各四元素）が持つ意味と各数が持つ意味だけを覚えておき、それを組み合わせることで、意味を導き出すことができます。

以下に、各スートが持つ意味と小アルカナにおける各数の意味を列記します。

スートの意味

棒（火）	未来に向けた、燃え上がる向上心や情熱。感情に身を任せた前進や戦い。
金貨（地）	物やお金などの五感で確認できる現実的な物事。堅実で慎重な動き。
剣（風）	合理的で論理的な鋭い判断力。温かみのないさばけた言動や傷つける行為。
聖杯（水）	愛情や慈愛心を通した他者とのつながり。感性が豊かでロマンチスト。

数の意味

エース	生まれたばかりの原初的で純粋なエネルギーの状態
2	四元素が純粋さを持ったまま、軽い形で現れた状態
3	軽い形で現れたものが、少し複雑化してきた状態
4	複雑化してきたものが、ひとまず結束して安定した状態
5	安定したものが激しく揺さぶられ、崩された状態
6	調和やバランスが取れた状態
7	調和が崩されて、不安定になったり衰弱したりした状態
8	突然の予想外の変化
9	四元素がハッキリと固定されてきた状態
10	四元素が完成された状態

　上記のポイントだけでも押さえれば、すべての意味を暗記しなくても占うことが可能です。しかし初心者であれば、やはり小アルカナすべてが絵札になっている、占いやすいタロットを使うことをお勧めします。また、大アルカナだけを使用した占いに慣れてしまうと、小アルカナを含めたフルセットでの占いに移行するのが面倒になり、そこで「小アルカナが、なかなか覚えられない」という事態が生じます。ある程度タロット占いに慣れたら、小アルカナを入れて78枚で占う回数を速やかに増やしていきましょう。

　各カードの意味は、大アルカナも含めて本に書かれているものをすべて丸暗記する必要はありません。しかし、各カードの正逆共に一つずつは、主要なキーワードだけでも覚えておくと、かなり役立ちます。その一つのキーワードを頭の中で広げて、意味を深く読み取ることが可能になるからです。

Q.8

「スプレッドですべてが逆位置の場合はどうしたらよいのでしょうか？」

A.8 本によっては、「カードを展開した時に逆位置が多く出た場合は、占い直した方がよい」などと書かれたものがあります。これは、逆位置が多く出るということは、占っている時に集中力に欠けていたためと判断されたか、もしくは単純に、逆位置が多いと読み取るのが困難だからではないかと思われます。

しかし、しっかり集中力を持って占った場合であれば、逆位置が多く出ても、それはそれぞれのカードが逆位置で出る必要があったためだと判断します。逆位置で出ることには、ちゃんと意味があるのです。どうしても逆位置が多いと気になる……というのであれば、占い直すことを選択しても仕方がありませんが、そうではない場合は、逆位置が多くてもそれを受け止め、そのままの形で読み取るようにしましょう。

正位置と逆位置の話からは若干外れますが、集中力に欠けている場合や深夜などに占った場合、キチンとしたカードが出ないことがあります。例えば、同じような内容を繰り返し占った場合や、頭がもうろうとしていたり周囲が騒がしかったりして集中力に著しく欠けていた場合、特定の位置に意味を読み取るのが困難な同じカードが頻繁に出るようになったり、場合によっては逆位置のカードがやたらと増えたりします。

また、深夜や状態の悪い場所などで占うと、「死神」や「塔」など不吉なカードが頻繁に出るようになることもあります。その場合は占い直すのではなく、占うこと自体を中止してください。

Q.9

「電話やメールなどの対面鑑定ではないケースではどんなことに気をつけたらよいのでしょうか？」

A.9

電話を使っての鑑定は、相手の表情が見えませんので、相手の言葉にすべての意識を集中しながら理路整然と鑑定の内容や相手の意向を汲み取り、占っていくことになります。手元にメモを忘れないようにしましょう。

また、カードをシャッフルしている間は保留音を鳴らすなどしつつ、相手に受話器を持たせたまま待たせることになります。人が平常心で待てる時間は、3分程度といわれています。ですから3分以内でのシャッフルと展開を心がけましょう。それ以上長く待たせる場合は、一度電話を切ってもらった方が、相手の待つストレスが軽減します。また、人は10分以上待つとイライラし出すといわれますので、最長でも10分と考えておきましょう。

電話での鑑定で相手に結果を伝える時に一番重要なのは、「無言の時間を作らない」ということです。展開されたカードを真剣に読むがために無言の時間が長くなると、相手が不安を感じてしまいます。また逆に、相手がよくしゃべる場合は、その話の腰を折らないようにすることも大切です。電話鑑定の場合は特に、相手が悩みについてあれこれと話すことにより、気分がスッキリする場合が多々あります。相手がどの程度のペースで話す人なのかを見極め、それに合わせて占う人自身の話す量を増減させましょう。

メール鑑定は、相手の顔が見えないどころか、会話を通して細かい部分の確認をすることもできません。あくまでも一方通行の鑑定となり、初心者であると相手の状況が全く見えずに見当違いな回答を出した

り、メール交換を何度も通して相手に頻繁に何かを確認したりと、若干困難さを伴う鑑定方法であるといえます。そうした点を防ぐために、事前に相手の具体的な状況と、具体的には何を知りたいのかということを、しっかりとメール文を通して確認しておきましょう。

　また、当然のことながら、内容をキチンと伝えられる程度の文章力は必要です。文章だけではニュアンスが伝わらない場合もありますので、どの展開法を使用し、どんなカードが出たかをすべて書いておくことも、相手を納得させる上でプラスになります。

　占う人のキャラクターにも寄りますが、メール鑑定の場合は友人に書くような親しげで崩したムードの文章は控えめにして、合理的にわかりやすく鑑定内容をまとめて書いた方が、相手に満足感を持ってもらえるようです。

Q.10

「同じ質問を違うスプレッドで見ても大丈夫なのでしょうか？　もしくは、質問内容を少し変えることで占うのは問題ないのでしょうか？」

A.10

　全く同じ質問を複数回占うのは、タロット占いでタブーとされています。これはスプレッドを変えて占ってみたとしても同じです。はじめに出した占い結果を大事にしてください。

　少し質問を変えて、もう一度占うことがタブーになるかということは、その質問の変え方の程度にもよります。しかし、基本的にはタブーであると思ってください。

「つき合っている人と結婚できるかどうか」をはじめに占い、結婚できる可能性が高いと出た場合、「では、いつ頃結婚できるのだろうか」もしくは「どのタイミングで結婚するとよいのだろうか」という疑問が湧いてきたとします。その場合はもう一度カードをシャッフルするのではなく、展開されたカードの中からニュアンスだけでも読み取るようにするか、手元に残ったカードの中から1枚もしくは数枚引いて、その疑問点だけについて占ってみるとよいでしょう。

　また、この例の場合、占った後に「では、つき合っている人と結婚をしたらどうなるのか」という疑問が湧いてきたとします。これは「結婚できるか」という質問内容とかぶっている部分が少なく別の問題であるといえるため、再度シャッフルをして占っても、それほど大きな問題はないといえます。

Q.11

「はじめはスリーカードでリーディングしていましたが、あまり意味がうまくとれずに多数枚リーディングに移行しましたが、そういうやり方は問題ないのでしょうか？」

A.11　前述しましたが、たとえ展開法を変えたとしても、基本的には同じ質問を2度以上占うのはタブーとなります。スリーカードで占ったのであれば、その答えを大切にしてください。詳細な結果が欲しいのであれば、はじめから多数枚の展開法を選んで占うようにしましょう。一度占ったけれど、どうしてももっと詳細な結果が欲しい

というのであれば、少し期間を置いてから、多数枚の展開法を使って再度占うようにしてください。

Q.12

「逆位置が覚えられないので、正位置だけでリーディングをしてもよいものなのでしょうか？」

A.12 各カードの逆位置の意味は、本によってさまざまなものが与えられており、なかなか自分の中で統一するのは難しいかと思います。しかしカードが逆位置に出てきたということは、逆位置に出たなりの理由があります。また、タロットカードの逆位置は基本的にはネガティブな意味が多い反面、正位置は逆位置に比べてポジティブな意味を持つカードが多くなります。

そのため逆位置をすべて払拭して、すべて正位置だと判断してリーディングをした場合、逆位置を取り入れてリーディングする場合に比べて、ポジティブなカードの割合が一気に増えます。例えば、「太陽」の逆位置が出た場合、これを正位置として判断するのと逆位置として判断するのとでは、ほぼ180度の意味の違いが出てきます。正位置であっても、「これはネガティブな意味合いを秘めているな」とピンときて冷静に読み取ることができる人であればよいのですが、大抵の人は自分のことを占った場合に、自分に都合よくカードを読み取りやすくなります。ですから「太陽」のカードを正位置とみなして判断した場合に、「望みが見えない暗黒な状態だ」と判断できる人は、皆無に等しいといえるでしょう。

また、逆位置をすべて払拭することにより、タロットカードの出方が156通りの半分の78通りのみとなり、占い結果の精密度が下がってしまうというデメリットもあります。

　しかし、タロット占いは非常に高い柔軟性を持っている占術ですから、どうしても逆位置を取るのが難しいというのであれば、「すべて正位置として読む」とハッキリ決めてしまって問題ありません。その場合、逆位置を取ったり取らなかったりという中途半端な行動を取るのは避けて、できるだけ一貫するように心がけましょう。

　そしてその場合は1枚1枚のカードを独立させて読むのではなく、周囲とのカードの関連性を意識しながら、そのカードのポジティブな面が強く出るのか、それともネガティブな面が強く出るのか、ということを判断していく作業が必要になります。

　また、「基本的には正逆を取るけれど、このカードとこのカードはすべて正位置として読む」という、部分的に正逆を取らない場合もあります。それはカードの種類や占う人の感覚によって決めてしまって問題ありませんが、タロットを惑わせないよう、やはり一度決めたらコロコロと変えず、一貫性を持つことが大切です。

Q.13

「多数枚スプレッドで「最終結果」など、その質問のまとめといえる箇所だけネガティブなカードが出てしまいました。他の箇所はポジティブで良好な意味を持つカードばかりです。どのように解釈したらよいのでしょうか?」

A.13

　スプレッドの中の「最終結果」は、占いの中心でまとめ役ともいえる重要なカードです。ですからそこにネガティブなカードが出た場合、他に並んでいるカードがどんなにポジティブなものが多かったとしても、決して無視はできません。出ているカードの強さなどにも寄りますが、そうした場合は基本的には、何かと幸運の要素には恵まれ途中経過までは順調なものの、最終的には、もしくは長い目で見た場合には、「最終結果」に出ているカードのようなネガティブな形になりやすい……という感じで判断できます。ただし、そのネガティブな意味はかなりプラスの方へと差し引かれ、深刻さは和らぐでしょう。

　またその逆に、「最終結果」のカードがポジティブだけれど、他に並んでいるカードはほとんどがネガティブな意味だという場合は、困難が多くて苦労をするけれど、その末に望ましい形になり、結果的には幸運をつかむ……という感じで読むことができます。ただしこの場合も、「最終結果」に出ているカードから、幸運度はかなり差し引かれると考えた方がよいでしょう。

　要するに、基本的にはカードが出ている通りに読めばよいということです。周りのカードがどうであれ、無理に「最終結果」の良し悪しまでも、捻じ曲げてしまう必要はありません。

　ただし全体のカードを通して判断した結果、「最終結果」の良し悪

しまでもが大幅に変わると思える場合もあります。その時は、自分の直感に素直に従ってください。

Q.14

「同じスプレッドの中で相反する意味の組み合わせが出てきてしまいました。どのように解釈したらよいのでしょうか？」

A.14

　一つのスプレッドの中のそれぞれのカードの位置には、意味がかぶらないように、それぞれに違った役割があります。ですからスプレッドの中に相反する意味のカードが出たからといって、占いの結果が矛盾するということはまずないはずです。

　例えば、好きな異性との今後を占った場合、「近い未来」の位置に「女帝」の正位置が出て、「最終結果」の位置に「星」の逆位置が出たとします。「女帝」の正位置と「星」の逆位置は、意味も持つムードも大きくかけ離れていますが、これは時間の経過と共に二人の状況が「女帝」の正位置から「星」の逆位置へと変わっていくということですから、矛盾しているのではありません。具体的にいえば、近い未来にはお互いに深く愛し愛される幸福感を味わえるものの、交際が長くなるにつれて、お互いに相手の欠点が目につくようになったり、ガッカリするような出来事が起きたりと、幻滅する結末を迎える……という読み方になります。

　次に、スプレッド内の同じような状況を示す位置に、相反した意味を持つカードが出た場合はどうなるかを考えてみます。例えば、「ケル

ト十字」で展開した場合、「現在の状態」の位置に「吊るされた男」の逆位置、そして「質問者の現在の立場」を示す位置に「聖杯9」の正位置が出たとします。

　しかし厳密にいえば、同じようなことを示す位置であっても、その役割は微妙に違っています。「ケルト十字」の「現在の状態」は、その問題に関するすべてを含めた状況であり、「質問者の現在の立場」は、あくまでも質問者だけの状況、もしくは質問者自身が持っているトータル的な感情を示します。ですから、その問題の全体的な状態としては身動きが取れずに停滞しているものの、質問者自身はそんな状況の中でもプラス面を見て満足感を味わっていたり、実際に恵まれた状況にいたりする、という感じで判断します。

Q.15

「カードにはたくさんの意味が込められているため、あるスプレッドでカードを見た時に、その意味を一つに絞り切れない場合はどうしたらよいのでしょうか？」

A.15

　確かに、1枚のカードの中に全く違う複数の意味が存在することは、多々あります。例えば、「月」の正位置には「不安」の他に「誤解」や「直感や霊感」という意味もあり、「金貨ペイジ」では「勉学に励む」の他に「良い知らせ」や「勤勉な学生」という意味もあります。

　複数ある中からどの意味を選ぶかは、占っている時の実際の状況

や、スプレッドに出ている他のカードを参考にしながら、ピッタリとフィットすると思えるものを選択するようにします。場合によっては、直感で意味を選ぶこともあるでしょう。

　それでも複数の意味が候補として浮かんでしまい、一つに絞り切れない時は、念のため候補に挙がっているその複数の意味を、いったん受け入れておくとよいでしょう。すべての意味をノートなどにメモしておくか、頭の中に入れておくようにしてください。そしてしばらく様子を見るようにすれば、「あのカードは、こちらの意味を表していたんだな」とわかる日が訪れるかもしれません。

　また、他人を占っている場合に一つのカードに複数の意味が浮かび、どれを選んでよいのか迷ってしまった場合は、無理やり一つに絞らず、相手に両方の読み方があることを素直に伝えてみるとよいでしょう。そうすれば、質問者が頭の中で自分の現状と照らし合わせるなどして、「それは、多分こちらの意味だと思います」と教えてくれる場合もあります。

Q.16

「意味が似ているカードの違いを教えてください」

A.16　次頁に、タロット占いを始めた人の意見を参考にして、大アルカナの中の似たカードの違いを解説していきます。カードそれぞれの意味を比較させながら相違点を覚えていくとよいでしょう。

　基本的には、カードの番号が大きくなるごとに、カードが持つエネルギーは強くなり、それと同時に精神性も高くなります。番号が若いカー

ドの方が現実味を帯びていて人間臭さがあるのですが、番号が大きくなるにしたがって、物質的な世界を離れ、神のいる精神世界への領域へと近づいていくのです。

①「戦車」と「力」

「戦車」にも「力」にも、一人の人間が他人の力を借りず、全力を出して行動する姿が描かれています。また絵柄としては、一人の人間の下に四つ足の動物が描かれている点も似ています。

しかし、「戦車」のカードの人物は車に乗ってスピーディーに前進していくのに対し、「力」のカードの人物は足を動かさずにその場に立ち尽くし、獅子を手で抑え込んでいます。それがこの2枚のカードの、決定的な違いです。全力で何かに取り組むのは共通していても、そのエネルギーの注ぎ方が大きく違っているのです。

「戦車」に描かれている人物はまだ若く、若さゆえの勢いだけで、前へ前へとひた走っています。その先には何が起こるかわかりませんし、途中で疲れ果ててしまうかもしれません。それでも何かを求めて、ジッとしていられない状態なのです。

それに対して「力」に描かれている人物は、決して焦ることなく涼しい微笑みを浮かべ、精神力を持って獅子を抑える自分の力をコントロールしています。「戦車」のようにバタバタと慌てなくても、冷静さを忘れなければ、状況を自分の力でより良い方向へ動かせることを知っています。そしてそれを実行しています。

共に他人を頼らずに全力を注ぐ点は同じですが、「戦車」よりも「力」の方が、確実性の高い成熟したエネルギーの使い方であるといえます。

②「運命の輪」と「世界」

　この2枚のカードの絵柄に関する共通点は、中央に大きな輪があること、そして四隅にエゼキエル書に登場する、四元素を司る生き物が描かれている点です。カードの意味は、「運命の輪」が「突然訪れる幸運」で「世界」が「完成からくる幸福感」と、両方共、非常にポジティブな意味になっています。

　この2枚のカードの意味の大きな違いは、「運命の輪」が「一時的な幸運」を意味するのに対し、「世界」が「長く続く究極の幸福」を意味している点です。

　「運命の輪」に描かれている大きな輪は、運命を司る者によって常に回され、輪の動きに乗ってせっかく頂点に辿り着いたとしても、すぐに下降線を辿ることになってしまいます。また、「運命の輪」が意味する幸運は、「試験の合格」や「クジに当選する」など、比較的現実的で俗っぽい幸運が多いのです。

　それに対して「世界」は、もっと精神的な部分での幸福を意味しています。たとえお金がなく物質や状況には恵まれていなかったとしても、心の中は非常に豊かで、幸福感に満ち溢れている状態を示します。真の幸福とは何か、人生とは何かという精神的なことを達観し、悟ることができている状態で、その幸福感は決して一時的なものではなく、延々と続きます。

　四隅にいる生物が、「運命の輪」の中では勉強中であるのに対し、「世界」の中ではすべてを理解して、幸福に満ちた表情をしています。そうしたことから、「運命の輪」よりも「世界」の方が、より深く安定した幸福を示しているといえるのです。

③「女教皇」と「隠者」

「女教皇」と「隠者」は、両方共、思索や思想を好む、高い精神性を持つカードです。絵柄の共通点は、一人の人物が静かにたたずんでいる点です。描かれている女教皇も隠者も言葉を発することなく、そして動くことなく、シンとした状況の中で静かに思索を続けています。大きな違いを見つけるのが難しい二つのカードではありますが、それぞれが思索している内容と、持っている性格が異なります。

「女教皇」は、手元に書物を持っている点から、その思索が自分の内面から出てくるものではなく、文書などの外から入ってくる知識や情報を通しているものであることがわかります。そして、それらの知識や情報はあくまでも合理的で、情感を伴うものではありません。「生活に役立つ」ことや「便利である」という、現実生活に即した思索や思考なのです。もしくは学校の授業やテキストなど、「試験に合格するためのもの」であることもあります。

それに対して「隠者」の思索は、もっと精神性の高い観念的な内容になります。「隠者」に描かれている老人が思索しているのは、テキストに書かれたような知識や情報ではなく、自分の人生経験を通して得た悟りに関することです。人生とは、そして生きる上で本当に大事なものとは何かというような、人間にとって真に大事なことについて思いを巡らし、そして人々が人生に迷わないようにと、自分自身が探し出した正しい方向へと誘導しているのです。

一見似ていますが、「女教皇」の方には合理的な情報処理能力があり、「隠者」の方には深い熟考力があるのです。

④「正義」と「審判」

「正義」と「審判」を比べると、絵柄的にはあまり共通点はありませんが、意味としては「審判を下す」という、大きな共通点があります。そのため同じような意味を持つカードに見えますが、この2枚では、その審判を下す内容が大きく違っています。

「正義」に描かれている中央に座る女神が審判を下すのは、人間が犯した不正などの犯罪に対してです。もし有罪の判決を下したとしても、それは決してその人物のすべてを否定するわけではなく、あくまでも罪だけを罰する形になります。また、命を奪うほどの重罪を与えることも滅多にありません。

それに対して「審判」の空に描かれている大天使が審判を下すのは、その人のごく一部である罪ではなく、その人の人生すべてにおいてです。生まれてから死ぬまでの間、その人がどんな生き方をしてきたのかということを統合的に判断し、審判を下します。そして認められた者には永遠の命を授ける反面、認められなかった者は地獄に落とすという、まさに天と地ほども違う状況を与えるのです。当然のことながら、その下される審判の結果は、人間の命だけではなく魂にまで、多大な影響を与えます。ですから、「正義」と「審判」は状況的には似ているものの、その審判を下すスケールの大きさが違うのです。

また、バランスを大事にする「正義」のカードは、ダイナミックさのある「審判」のカードに比べると動きが少なく、安定感のある穏やかなカードであるといえます。

⑤「女帝」と「恋人」

　「女帝」と「恋人」のカードはどちらも愛情を司り、特に恋愛問題を占う場合に出ると、共に幸運度が高いカードです。この二つのカードの絵柄に大きな共通点はありませんが、両方共、優雅で温かいムードに満ちています。それぞれのカードの意味の違いを挙げると、同じ愛情がテーマであっても、その愛情の持ち方が違っているといえます。

　「女帝」には、恰幅のよい既婚女性が描かれています。マタニティーウェアのようなドレスを着た女帝は妊娠しており、心身共に豊かな愛情に満たされている状態です。既に愛する夫と子どもが定まっていて、その愛情を生涯持ち続けることに、何の疑問も不安もありません。

　その一方で「恋人」のカードには、その名の通り、男女の恋人が描かれています。まだ交際が始まった頃のように、お互いに相手に対してドキドキとときめいています。しかし未婚ということもあり、そのトキメキや交際が延々と続いていく保証はありません。もしかしたら明日には、相手の欠点を見つけて一気に愛情が冷めてしまうかもしれません。そうした何の契約もない中での、一時的なトキメキでつながれている恋愛関係なのです。

　トータル的に判断すると、「女帝」のカードは結婚、もしくは結婚につながるような深さと安定感のある愛情を示し、「恋人」のカードは結婚までは辿り着かない一時的な恋心やトキメキ、楽しい恋愛状態など、あまり深さのない恋愛を示しています。

⑥ 「死神」と「悪魔」と「塔」

　この3枚のカードはすべて、一般的には強い凶意を持つと恐れられるカードです。各カードはそれぞれ違った形の凶意を示しています。

　「死神」はその名からストレートに死を連想させ、タロットをよく知らない人からは最も恐れられているカードであるといえます。実際に生き物の死を意味することは確かです。ただし、死ぬこと以外にも、「計画が中止になる」や「続けてきたことを止める」など、それほど恐れる必要がない意味も多々含まれており、実際に強い凶札であるとはいえません。この絵柄の遠方には、輝く太陽が顔を出しています。何かが終わらなければ、何かを始めることもできないのです。

　「悪魔」は、「死神」よりも凶意が強いといえます。カードの絵柄の中の男女は、悪魔が司る堕落した世界にどっぷりと浸かり、そこから逃れようとはしません。この悪魔の世界は、現実的に堕落した状態を示しています。例えば、お酒や薬に溺れている状態などです。望ましくない危険な状況に浸りながらも、本人はそれを悪と気づかず、抜け出そうとしない状態なのです。

　「塔」には築き上げてきたものが一気に破壊されるという、衝撃的なシーンが描かれています。その破壊力の強さから、すべてのカードの中でこの「塔」が一番の凶札であるといえます。このカードが何かを創造することはなく、ただ破壊と崩壊があるだけです。しかし「塔」は「悪魔」の次に位置し、「悪魔」が持つ混沌とした世界を一気に打ち壊す力を持っています。「悪魔」の状況に浸りそれを肯定しながら生きていたところに「塔」の徹底的な破壊が訪れ、ハッと目が覚めたような気分になるのです。ですから凶札であるからといって、単純に「悪いことが起こる」と読むのは早計です。各カードが持つ細かいニュアンスを大切にしながら判断しましょう。

質問16

Column.2

タロット鑑定がマイナスに働く場合

　タロット占いができるようになると、友人知人からの依頼を受けたり、プロとして鑑定を始めたりする人も出てくるでしょう。キチンと集中して占い出した結果は、相手に何かしらの有意義な指針を与えるはずです。

　しかし数多くの人達を占うようになると、たとえ真面目に占っていても、タロット占いが相手の行く先を阻害するなどマイナスに働く場合が出てくることに気がつきます。それはひと言で言えば、占いを受ける相手が、占いに依存をしている状態の時です。占いで問題の全体像を把握したり、行動の参考にしたりするのではなく、「占うだけで、幸運がやってくる」とか「占うことで、今の不安を紛らわせる」などと思っている場合。このように占いに問題を委ねてしまっている場合、タロット占いはその人にとって、単なる毒やドラッグのようなものになってしまいます。

　占いに依存しているお客様の中で多いのが、「自分に都合の良い占い結果を引き出そうとする人」です。こうした人は、占いの結果が自分にとって望ましくないものであれば、「そんなはずはない」などと言って結果を捻じ曲げてもらおうとしたり、すぐに別の占い師のところへ行き、同じ問題を占ってもらったりします。そして最終的には、自分にとって都合の良いことを言ってくれる占い師のところに入り浸るようになります。占いの結果が良ければ「ああ、良かった」と満足し、その直後に占い結果とは全く違う辛い現実を目の当たりにすると、また占いにすがる……を繰り返し、一向に現実の状況は好転することがありません。また報酬をもらわず友人知人を占う場合、何でもかんでも気軽に占いに尋ねようとする人も増えてきます。これも全く相手のためにはならない上に、占う人も無駄に疲弊します。

　本当に必要な時に占い、その結果を大事にする……それが理想的なタロット占いのパターンだといえるのです。

III

Tarot Spread

タロットスプレッド解説

本章ではプロの占い師も実践の場で使っているスプレッドを解説していきます。
基本となるスプレッドからの応用編として変形バージョンも紹介していきますので、慣れた人やさらに深くリーディングしたい人は挑戦してみてください。

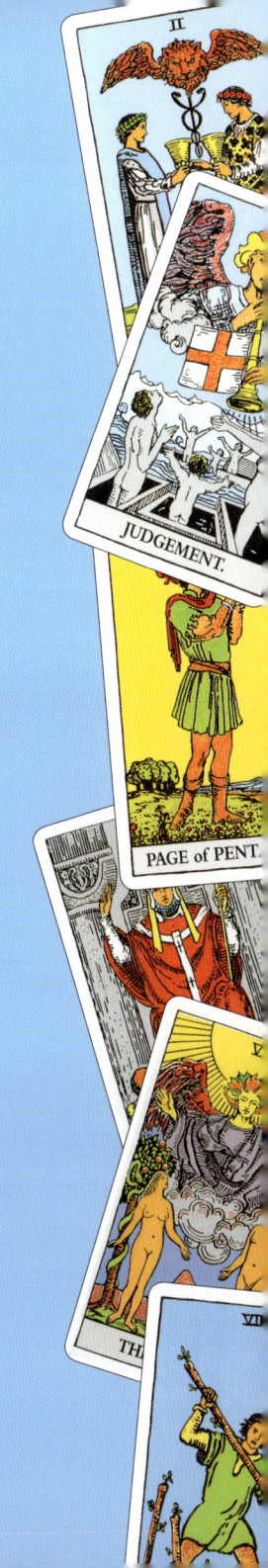

1. タロット占いの基本

　各スプレッドに共通するタロット占いの基本的な流れを以下に確認しておきます。ステップ3まで終えたら各スプレッドの並べ方を参照してください。

Step 1　カードを混ぜる

　タロットカードの山を裏向きにして目の前に置き、それを両手で崩します。そして質問事項を頭の中で念じながら、両手で時計回りにカードを混ぜ続けます。自分の手からパワーをカードに注入するように意識してください。この時に、どのスプレッドを使うのかも思い浮かべてください。

Step 2 カードをまとめる

「もういいだろう」と思ったら混ぜている手を止めて、カードを両手で一つの山にまとめます。カードを横向きにまとめた場合、カードの山の左端が頭になるようにします。

Step 3 カードをカットする

まとめたカードの山を、質問事項を念じながら三つに分けて、それを最初とは順番を変えて一つの山に戻します。他人を占う場合は、相手にカットしてもらい、そして山をまとめてください。このカットは省略しても問題ありません。

2. ケルト十字

❶ どのようなスプレッドなのか？

「ケルト十字」は、質問者の現状や心理状態が詳しく出る展開法で、周囲の状況を見るカードは1枚しかありません。そのため、周囲の影響をあまり受けない自分自身の問題を占うのに適しています。対人関係が重要な恋愛問題を占うのには適しません。

❷ 各項目の意味するもの

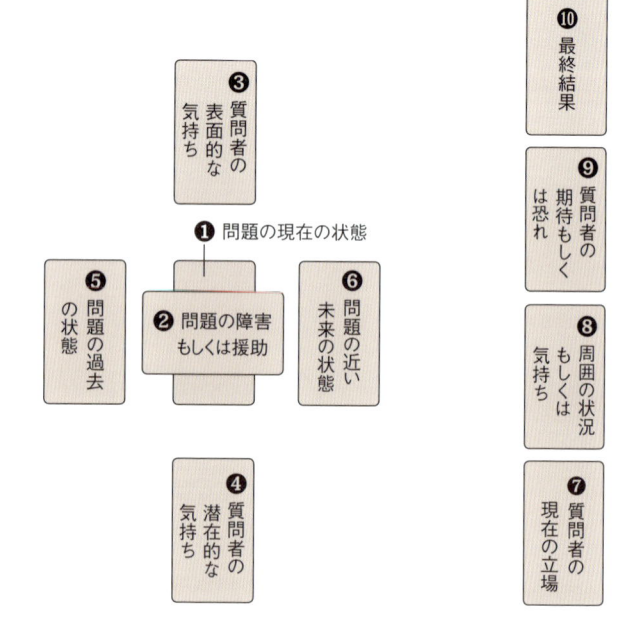

- ❶ 問題の現在の状態
- ❷ 問題の障害もしくは援助
- ❸ 質問者の表面的な気持ち
- ❹ 質問者の潜在的な気持ち
- ❺ 問題の過去の状態
- ❻ 問題の近い未来の状態
- ❼ 質問者の現在の立場
- ❽ 周囲の状況もしくは気持ち
- ❾ 質問者の期待もしくは恐れ
- ❿ 最終結果

「変形ケルト十字」〜応用編〜

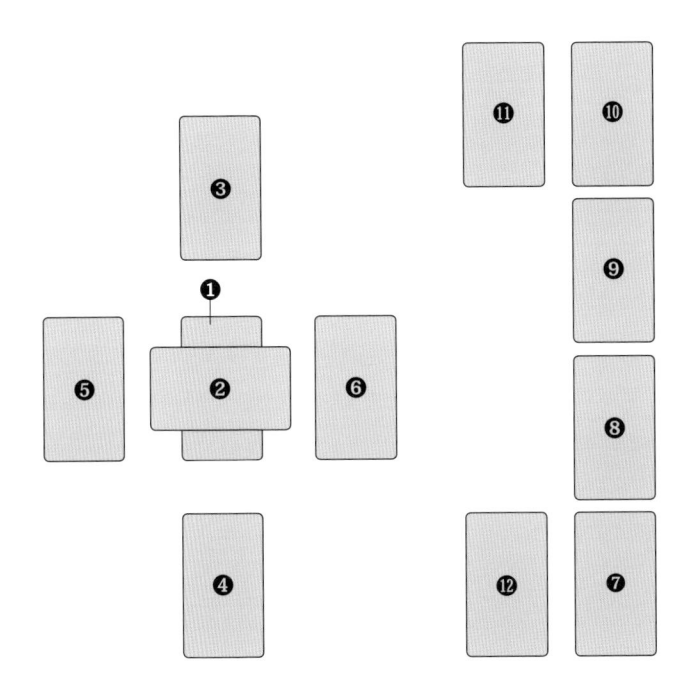

❶ 問題の現在の状態
❷ 問題の障害もしくは援助
❸ 質問者の表面的な気持ち
❹ 質問者の潜在的な気持ち
❺ 問題の過去の状態
❻ 問題の近い未来の状態
❼ 質問者の現在の立場
❽ 周囲の状況もしくは気持ち
❾ 質問者の期待もしくは恐れ
❿ 最終結果
⓫ 最終結果の補足
⓬ 対策

　占いの準備ができたカードの上から7枚目を①に置き、続けて⑥まで置きます。次に、残ったカードの山から7枚目を⑦に置き、続けて⑩（「変形ケルト十字」では⑫まで）まで置きます。

3. ヘキサグラム

1 どのようなスプレッドなのか？

「ヘキサグラム」は、適度な枚数で読み取りやすい上、知りたい情報がほとんど含まれて便利なため、多くの人に使用される展開法です。具体的な内容であればどんな問題でも占えますが、自分の状況と周囲（相手）の状況を対比できるため、恋愛問題を占うのに適しています。

2 各項目の意味するもの

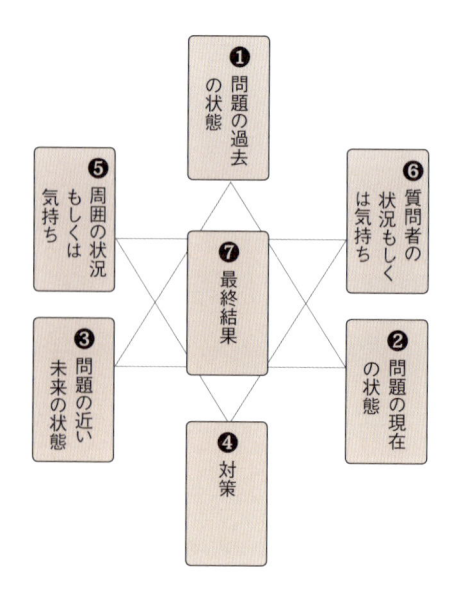

- ❶ 問題の過去の状態
- ❷ 問題の現在の状態
- ❸ 問題の近い未来の状態
- ❹ 対策
- ❺ 周囲の状況もしくは気持ち
- ❻ 質問者の状況もしくは気持ち
- ❼ 最終結果

「変形ヘキサグラム」 〜応用編〜

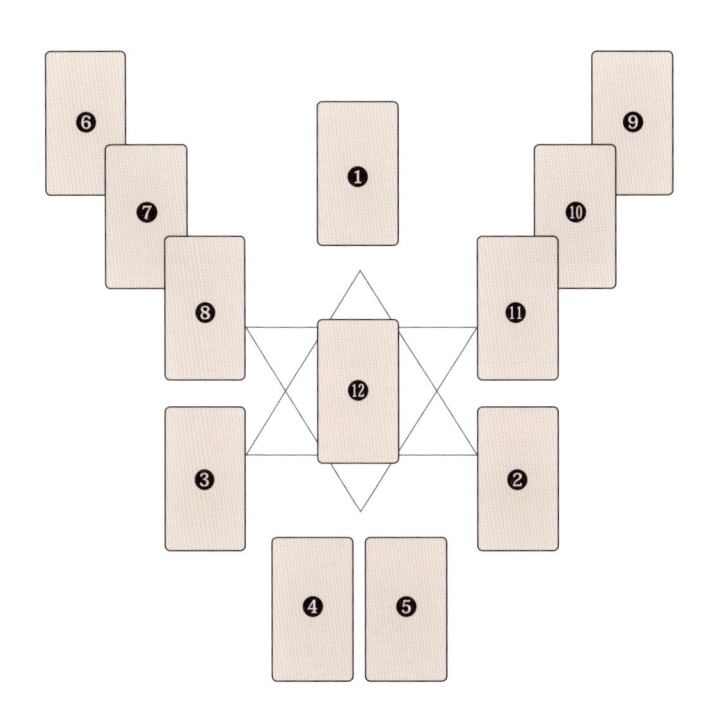

❶ 問題の過去の状態
❷ 問題の現在の状態
❸ 問題の近い未来の状態
❹ 対策
❺ 対策
❻ 過去の周囲の状況もしくは気持ち
❼ 現在の周囲の状況もしくは気持ち
❽ 未来の周囲の状況もしくは気持ち
❾ 過去の質問者の状況もしくは気持ち
❿ 現在の質問者の状況もしくは気持ち
⓫ 未来の質問者の状況もしくは気持ち
⓬ 最終結果

　占いの準備ができたカードの山から7枚目を①に置き、続けて③まで置きます。次に、残ったカードの山から7枚目を④に置き、続けて⑦まで置きます。「変形ヘキサグラム」の場合は、カードの山の1枚目を①に置き、続けて③まで置きます。次に、残ったカードの山から7枚目を④に置き、続けて⑪まで置きます。最後に、残ったカードの山から2枚目を⑫に置きます。

4. ホロスコープ

1 どのようなスプレッドなのか？

「ホロスコープ」は、さまざまな方面の情報を一気に取得できる上にバリエーションの利く、非常に便利な展開法です。具体的に占いたいことがない場合や、全体的な運気が知りたい時に使用します。年間の運勢の他に、1ヶ月間の運勢、1日の運勢、国や会社の運勢、方位、健康など多岐にわたり使用できます。

2 各項目の意味するもの

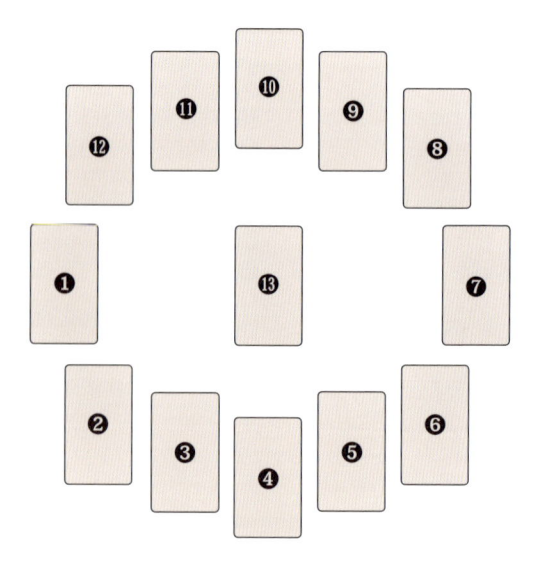

① 方位を見る場合

- ❶ 東
- ❷ 東北東
- ❸ 北北東
- ❹ 北
- ❺ 北北西
- ❻ 西北西
- ❼ 西
- ❽ 西南西
- ❾ 南南西
- ❿ 南
- ⓫ 南南東
- ⓬ 東南東
- ⓭ 指針カード

② 健康を見る場合

- ❶ 頭・顔・火傷
- ❷ 喉・顎・耳・舌
- ❸ 肩・気管支・腕
- ❹ 胃・食道
- ❺ 背中・心臓・血管
- ❻ 小腸・大腸・神経系
- ❼ 腰・肌
- ❽ 生殖器・手術
- ❾ 肝臓・大腿部
- ❿ 骨・歯・膝
- ⓫ くるぶしの上から膝下までの脚部
- ⓬ くるぶしから下の脚部
- ⓭ 全体的な健康運

③ 1年間の運勢を見る場合

- ❶ 質問者の状況
- ❷ 普段使うお金・物質運
- ❸ 勉強運・頭脳運・精神状況
- ❹ 家庭運・母親の状況
- ❺ 恋愛運・レジャー運・子どもの状況
- ❻ 健康運・ペットの状況
- ❼ 結婚運・配偶者の状況
- ❽ 貯蓄運・死に関すること
- ❾ 旅行運・外国に関すること
- ❿ 仕事運・父親の状況
- ⓫ 友達運
- ⓬ 質問者の潜在意識・災害
- ⓭ トータル的な運気

占いの準備ができたカードの山から7枚目を①に置き、続けて⓭まで置きます。

5. ナインカードスプレッド

① どのようなスプレッドなのか？

「ナインカードスプレッド」は、縦横3列ずつに並べた9枚のカードを人の気持ちの構造に見立て、恋愛問題などで相手の気持ちを詳しく知りたい場合に使う展開法です。上段が表面意識、中段が中間意識、下段が潜在意識もしくは恋愛感情を表し、下段が一番重要になります。

② 各項目の意味するもの

表面意識

❶ 表面意識の中の表面の意識
❷ 表面意識の中の中間の意識
❸ 表面意識の中の潜在の意識
❹ 中間意識の中の表面の意識
❺ 中間意識の中の中間の意識
❻ 中間意識の中の潜在の意識
❼ 潜在意識の中の表面の意識
❽ 潜在意識の中の中間の意識
❾ 潜在意識の中の潜在の意識

潜在意識

占いの準備ができたカードの山から7枚目を①に置き、残ったカードの山から7枚目を②、さらに残ったカードの山の7枚目を③……と、7枚目ごとに①から⑨まで順に置きます。

IV

Tarot Case Study

ケーススタディ

本章では本書のまとめとして、ケーススタディを取り上げていきます。
項目は、①恋愛・結婚、②仕事、③健康、④人間関係、⑤未来予測、⑥その他です。
それぞれの質問に対して、「なぜ、そのスプレッドを選択したのか」も説明していますので、実践の場のヒントとして活用してください。

CASE.1 恋愛・結婚

「職場の同僚の男性が気になっています。以前は親しかったのですが、違う部署になってからほとんど話さなくなってしまいました。軽く食事に誘いたいのですが、誘っても大丈夫でしょうか？ 相手は私をどう思っていますか？」(24才・OL)

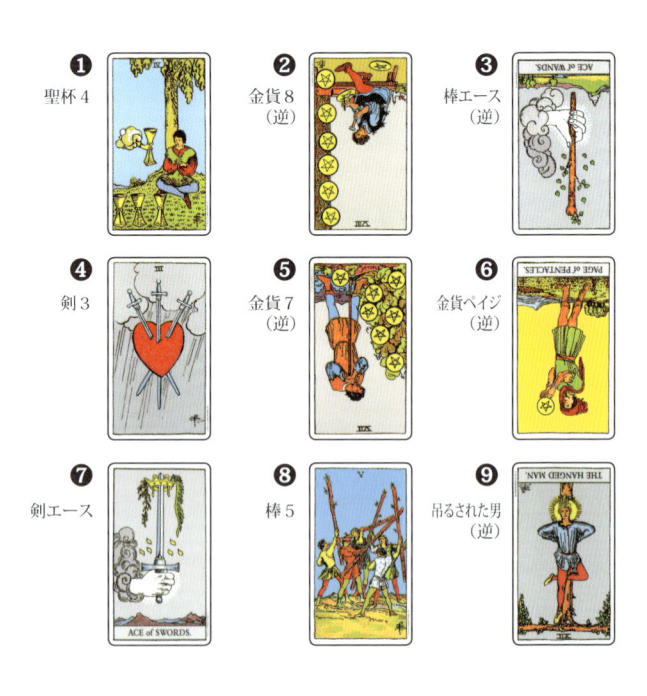

❶ 聖杯4
❷ 金貨8（逆）
❸ 棒エース（逆）
❹ 剣3
❺ 金貨7（逆）
❻ 金貨ペイジ（逆）
❼ 剣エース
❽ 棒5
❾ 吊るされた男（逆）

❶ 表面意識の中の表面の意識
❷ 表面意識の中の中間の意識
❸ 表面意識の中の潜在の意識
❹ 中間意識の中の表面の意識
❺ 中間意識の中の中間の意識
❻ 中間意識の中の潜在の意識
❼ 潜在意識の中の表面の意識
❽ 潜在意識の中の中間の意識
❾ 潜在意識の中の潜在の意識

「相手の気持ちを知りたい」という質問が含まれ、なおかつ相手の気持ちを分析することによって、食事に誘って大丈夫かどうかの判断を下せるため、人の気持ちを詳細に読み取ることができる「ナインカードスプレッド」を選びました。

　展開した9枚のカードを眺めると、精神的な葛藤や重苦しさがあるカードがズラリと並び、彼があなたに対して決して無関心でいるのではなく、相当な不穏な気持ちを抱えていることがわかります。

　このスプレッドでは、その人の根本的な心理を司る一番重要なカードが❾潜在意識の中の潜在意識となり、この鑑定では「吊るされた男」の逆位置が出ています。9枚の中の唯一の大アルカナで、パワーが強く、あなたに良くも悪くも強い感情を持っていることがわかります。一番下の列を恋愛感情の有無と設定して判断しても、彼はあなたに根深い心苦しさを抱えており、決して無感情とはいえません。それなりに恋愛の対象として、意識しているのではないでしょうか。

　しかし、それ以外の表面意識と中間意識のカード6枚を見ると、意欲に欠けた倦怠的なムードが強く表れています。あなたと部署が変わって距離が開いてしまったことを残念に思い、「二人の関係は、もう完全に終わってしまった」と嘆いているかのようです。あなたのことを意識の中から捨て去ろうと、必死になっている様子が伝わります。彼から積極的にあなたに接近しようとする意志は、皆無に等しいでしょう。

　しかし、恋愛として意識されているからといって、突然軽いノリで接近して食事に誘うようなことをすると、予想外の急な展開に彼は動揺してしまう可能性があります。今はあなたとの精神的な距離を開けようと心を閉ざし、苦しく思っている状態なのです。

　ですから、まずは挨拶を交わすことや他愛ないメールを送ってみることからスタートして、彼のあなたに対する複雑な気持ちを時間をかけて和やかにすることが先決であると判断できます。

CASE.2 恋愛・結婚

「2年間交際した男性と別れてから1年が経過しました。たまにメールのやり取りをする仲です。まだ未練があるので復縁したいのですが、可能でしょうか？」（34才・OL）

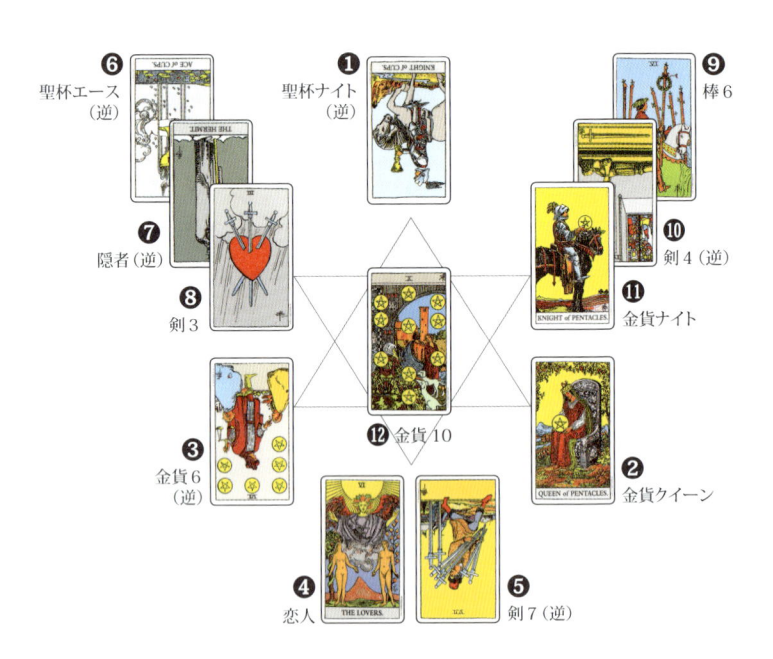

❶ 聖杯ナイト（逆）
❷ 金貨クイーン
❸ 金貨6（逆）
❹ 恋人
❺ 剣7（逆）
❻ 聖杯エース（逆）
❼ 隠者（逆）
❽ 剣3
❾ 棒6
❿ 剣4（逆）
⓫ 金貨ナイト
⓬ 金貨10

❶ 問題の過去の状態
❷ 問題の現在の状態
❸ 問題の近い未来の状態
❹ 対策
❺ 対策
❻ 過去の周囲の状況もしくは気持ち
❼ 現在の周囲の状況もしくは気持ち
❽ 未来の周囲の状況もしくは気持ち
❾ 過去の質問者の状況もしくは気持ち
❿ 現在の質問者の状況もしくは気持ち
⓫ 未来の質問者の状況もしくは気持ち
⓬ 最終結果

復縁を含めた恋愛の成就に関しては、相手の気持ちの変化がどうなっていくかが重要なため、彼の気持ちの流れを読むことができる「変形ヘキサグラム」を選びました。
　彼は、交際している時はあなたに深い愛情があったものの、あなたの強気な態度や仕事を優先する態度などに心を痛めてしまい、今はあなたに対して心を閉ざしてしまっていると読み取ることができます。その傷心ぶりはかなり強いですから、彼はこれからしばらくの間は、すぐに他に恋人を作るようなことはなく、孤独な状態でいることを選ぶでしょう。そのため、早急に復縁しなければ危険、ということはありません。
　❷ 最終結果の「金貨10」は、今後は彼との縁が簡単に切れるようなことはなく、たとえ友達としてであっても、何でも気楽に話せるようなアットホームなムードを築けることを示しています。彼は恋人を作らず一人でいることを選んだとしても、今後も深い孤独感や寂しさを味わい続けるはず。ですから、あなたが彼の孤独な心を温めてあげられるでしょう。
　しかし、彼の心の傷はそう簡単には癒えず、あなたを再び恋愛交際の対象として見るにはかなり時間がかかりそうです。また、❸ 問題の近い未来の状況の「金貨6」の逆位置は、彼があなたの前で、態度を軟化させないことを暗示しています。
　ただ、対策のカードには大アルカナの「恋人」が含まれており、あなたに「前向きに頑張りなさい」とエールを送っていることがわかります。具体的には、彼に対してまだ恋愛感情を持っていることを言動で示し、助言や励ましの言葉を送るなどして、明るく爽やかに連絡を取っていくとよいのです。ただし決して押しすぎないようにしてください。最終結果の「金貨10」のカードは穏やかな関係を築けることは示していても、決して復縁できるとは断言していません。しかし彼の心を溶かす努力をすることで、復縁するチャンスは出てくるはずです。

CASE.3 恋愛・結婚

「半年間同棲している彼女と、そろそろ籍を入れて結婚したいと思っています。今プロポーズすると、受け入れてもらえますか？」（28才・男性・調理師）

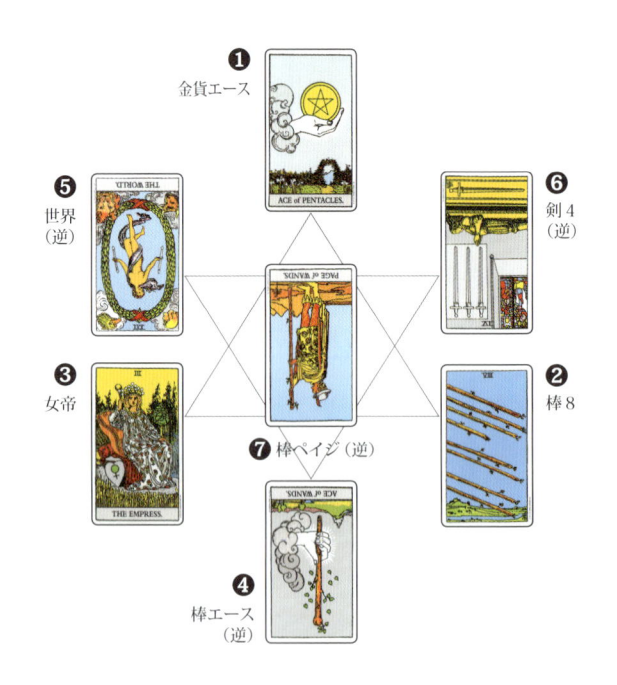

❶ 金貨エース
❺ 世界（逆）
❻ 剣4（逆）
❸ 女帝
❼ 棒ペイジ（逆）
❷ 棒8
❹ 棒エース（逆）

❶ 問題の過去の状態
❷ 問題の現在の状態
❸ 問題の近い未来の状態
❹ 対策
❺ 周囲の状況もしくは気持ち
❻ 質問者の状況もしくは気持ち
❼ 最終結果

既に彼女とは同棲中で、ある程度相手の状況を把握している上に、「受け入れてもらえるかどうか」という「イエス」か「ノー」かを知ることが重要な相談内容であるため、ポイントを絞ってズバリ結果を出すために、枚数の少ない「ヘキサグラム」を選びました。

　今現在の二人の状況は、大きな衝突などもなく、なかなか順調なようです。お互いに相手のことを大事な存在であると確信して、同棲するまでに至ったのでしょう。しかし今現在は、彼女の方がすっかりこの同棲生活に慣れ切ってしまい、ぬるま湯に浸かっているかのように、安穏とした気分でいるようです。日々退屈さを感じながらも、取り立てて大きな不満もないという状態でしょう。そんな中で、あなたの方が「そろそろ状況を変えていこう」と重い腰を上げ、結婚に向けて動き出した様子がうかがえます。

　「今、プロポーズを受け入れてもらえるか」という問いの答えを示す❼最終結果は、「棒ペイジ」の逆位置と、残念ながら思わしい結果ではありません。ハッキリと「ノー」の返事をもらう可能性が大です。それは決して彼女があなたと結婚したくないわけではなく、今の状況に慣れ切っているがために、結婚のために動くことが面倒だからだと判断できます。

　「ヘキサグラム」と「変形ヘキサグラム」は、問題の近い未来の状態のカードが、最終結果のカードよりも先の状況を示すことがあります。それは最終結果のカードが弱くて近い未来のカードが強い場合や、今回のように最終結果がすぐ先のことを示す場合に、近い未来と最終結果の経過の順番の逆転が起こるからです。

　❸問題の近い未来の状態は「女帝」。今すぐには「イエス」の返事をもらえないかもしれませんが、彼女はあなたとの関係に不満があるわけでも、他の男性を求めているわけでもありません。時間をかけて結婚ムードを高めることにより、長い目で見れば最終的に結婚することができるでしょう。

CASE. 4 恋愛・結婚

「年上の男性と半年ほど交際していますが、もともと彼への愛情はなく、今後は恋愛よりも夢を追うことに力を入れたいと思っています。彼と上手に別れられますか？　また、別れるためにはどうしたらよいですか？」（19才・女性・専門学校生）

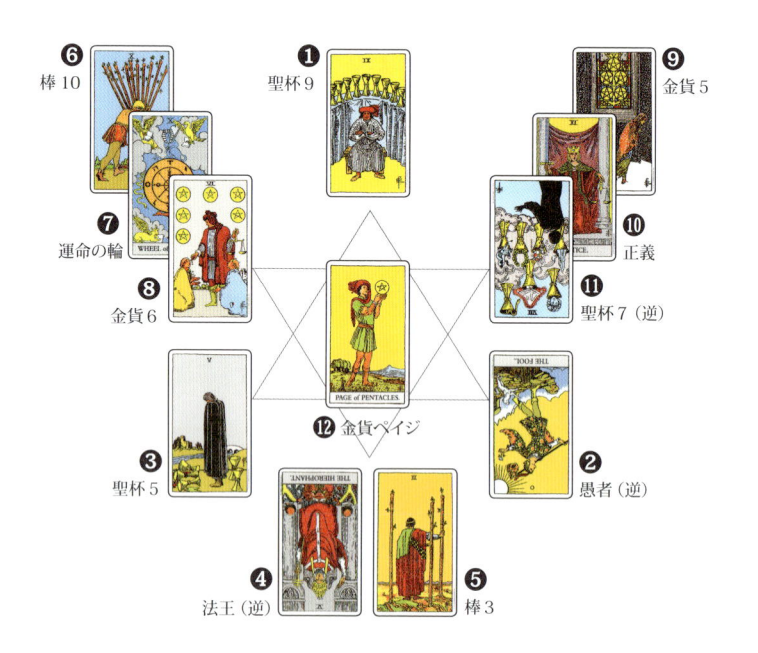

❶ 聖杯9
❷ 愚者（逆）
❸ 聖杯5
❹ 法王（逆）
❺ 棒3
❻ 棒10
❼ 運命の輪
❽ 金貨6
❾ 金貨5
❿ 正義
⓫ 聖杯7（逆）
⓬ 金貨ペイジ

❶ 問題の過去の状態
❷ 問題の現在の状態
❸ 問題の近い未来の状態
❹ 対策
❺ 対策
❻ 過去の周囲の状況もしくは気持ち
❼ 現在の周囲の状況もしくは気持ち
❽ 未来の周囲の状況もしくは気持ち
❾ 過去の質問者の状況もしくは気持ち
❿ 現在の質問者の状況もしくは気持ち
⓫ 未来の質問者の状況もしくは気持ち
⓬ 最終結果

相手の気持ちの動きと詳細な対策が必要なため、「変形ヘキサグラム」を選びました。

彼は交際中のこの半年間、あまり愛情を示さないあなたを振り向かせようとして、何とか頑張り続けてきたのでしょう。最近になってようやく「努力が報われてきた」と喜んでいる気配があります。そして今後も誠意を持って、あなたに親切に振る舞っていくようです。それだけあなたのことを大事な存在であると思っているのでしょう。それに比べてあなたの方は、最近になって彼の誠意を認めてきているとはいえ、やはり彼に恋愛感情を持つことができないようです。それは今後時間が経っても、変わることはなさそうです。

❶ 最終結果は、「彼と上手に別れられますか？」という質問に対する回答となります。「金貨ペイジ」はコツコツと努力を重ねる勤勉さを示すカードであり、決してネガティブなカードではありません。しかし物事が安定して細く長く続いていくということから、この質問に関しては、「このままでは簡単には別れられない」という、質問者にとってネガティブな意味を持っていることになります。

❸ 問題の近い未来の状態の「聖杯5」は、いつまでも彼との縁を切ることができず、あなたが自分の夢を思うように追えない状態を示しているのでしょう。「聖杯5」の絵柄のこぼれた聖杯の中身が自分の夢であり、後ろに残っている聖杯の中身が恋愛ということになります。

そこで、「別れるためにはどうしたらよいですか？」という質問への回答である、2枚の対策のカードが重要になります。「法王」の逆位置と「棒3」を組み合わせると、「自分の夢を彼に伝え、愛情を見せずに冷たく接するとよい」という感じになります。ずっと親切にしてくれる彼とは、自然の流れに任せるだけでは、なかなか縁を切ることができません。

まずは自分の気持ちを正直に話した上で、連絡やデートを避けるなどして、意識的に距離をあけていくとよいでしょう。

CASE.5 仕事

「就職活動で多くの会社を回りましたが、思うように内定がもらえません。このまま活動を続けて、無事に就職することはできますか？」（21才・男性・大学生）

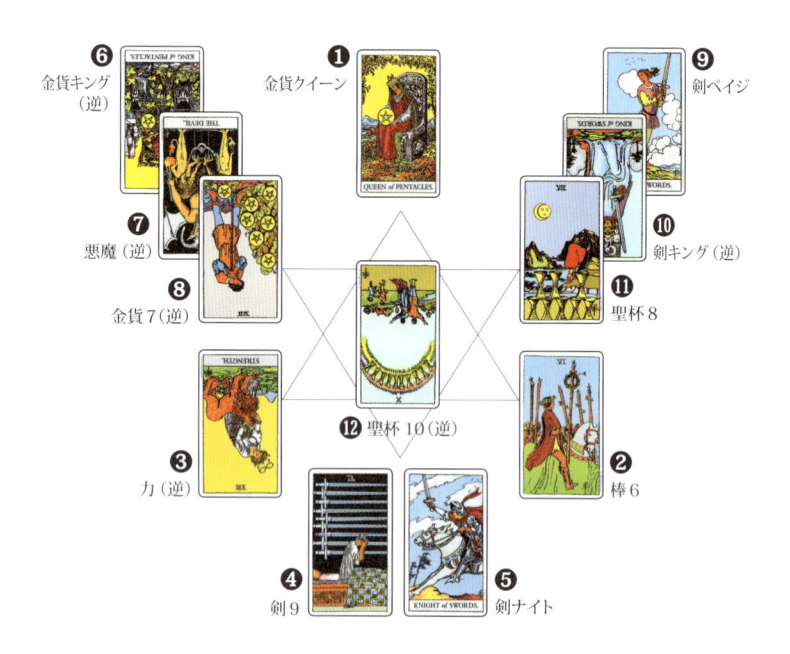

❶ 金貨クイーン
❷ 棒6
❸ 力（逆）
❹ 剣9
❺ 剣ナイト
❻ 金貨キング（逆）
❼ 悪魔（逆）
❽ 金貨7（逆）
❾ 剣ペイジ
❿ 剣キング（逆）
⓫ 聖杯8
⓬ 聖杯10（逆）

❶ 問題の過去の状態
❷ 問題の現在の状態
❸ 問題の近い未来の状態
❹ 対策
❺ 対策
❻ 過去の周囲の状況もしくは気持ち
❼ 現在の周囲の状況もしくは気持ち
❽ 未来の周囲の状況もしくは気持ち
❾ 過去の質問者の状況もしくは気持ち
❿ 現在の質問者の状況もしくは気持ち
⓫ 未来の質問者の状況もしくは気持ち
⓬ 最終結果

就職活動の成否は、面接を受ける会社側から見た印象が大きく影響するため、会社側の気持ちの動きがわかる「変形ヘキサグラム」を選びました。

　あなたの気持ちの動きを示すカードを見ると、「剣ペイジ」と「剣キング」の逆位置と、鋭さを感じさせるカードが並んでいます。また、なかなか内定をもらえない状況であるにも関わらず、❷問題の現在の状態の位置には自信や勝利を示す「棒6」が出ています。自分自身では気がついていないかもしれませんが、あなたは能力や人間性などに自信があり、自尊心が強く、就職活動に対して無意識のうちに自信過剰さが出て、横柄な態度を取っている可能性があります。例えば、「必死に自己主張をしなくても大丈夫」とか「自分であれば、細かいことをあれこれ話さなくてもわかってもらえるだろう」といった具合です。そのため、面接官の前で積極的に、自分の長所やヤル気などをアピールしていないのかもしれません。

　それを裏づけるかのように、応募会社側の気持ちには、「金貨キング」の逆位置、「悪魔」の逆位置、「金貨7」の逆位置と、あなたに対する印象がかなり弱いことを示すカードが3枚も並んでいます。決して会社側に悪い印象を与えているわけではなく、むしろ真面目な印象を持ってくれているかもしれません。それでも強いインパクトはなく、「特にこれといって、惹かれるものがないな」と思われている気配があります。面接が終わって少し時間が経てば、すぐに忘れられてしまうような状況のようです。

　このまま同じように会社の面接を受け続けても、なかなか内定をもらうことができず、結果的には途中で就職活動を投げ出してしまうことになるでしょう。そして家族にも不安を持たせたり、迷惑をかけてしまったりする可能性があります。

　対策のカードはあなたに、「もっと危機感を持って、全力で取り組むように」と告げています。恥をかき捨てて必死なムードを出した方が、面接官の印象に強く残るといえるのです。

CASE.
6 仕事

「今の仕事は適度に忙しく大きな不満はありませんが、今一つ熱意を持てず、何か物足りない気がします。かといって転職する勇気もないのですが、どうしたらよいのでしょうか？」（26才・男性・会社員）

⓫ 棒ペイジ
⓾ 剣ペイジ（逆）
❸ 剣エース（逆）
❶ 剣8
❷ 力
❺ 棒4（逆）
❻ 棒7
❾ 魔術師
❽ 聖杯9
❹ 金貨10（逆）
⓬ 金貨キング
❼ 吊るされた男（逆）

❶ 問題の現在の状態
❷ 問題の障害もしくは援助
❸ 質問者の表面的な気持ち
❹ 質問者の潜在的な気持ち
❺ 問題の過去の状態
❻ 問題の近い未来の状態
❼ 質問者の現在の立場
❽ 周囲の状況もしくは気持ち
❾ 質問者の期待もしくは恐れ
⓾ 最終結果
⓫ 最終結果の補足
⓬ 対策

周囲の状況よりも、自分の内面に問題が隠されていそうな質問ですから、自分の心理状態が詳細に出る上に「どうしたらよいか」という問いに答える対策も追加されている、「変形ケルト十字」を選びました。
　現在のあなたは、不自由な仕事状況の中でジッと耐えなければならないなど、ストレスをため込んでいたり、憤りを感じていたりする状況のようです。そして疲れも災いしてか、確かに仕事への熱意は薄いでしょう。そんな中で、❸ 質問者の表面的な気持ちの「剣エース」の逆位置は、何とか現状を打破しなければ、と脱出方法を探している感じがあります。無意識であっても、❾ 質問者の期待もしくは恐れの「魔術師」から、独立することを希望している様子もうかがえます。
　しかし、周りのあなたの能力に対する評価は高いのです。近い未来になって、やり甲斐のある大規模な仕事を任されるなどして、大きな踏ん張りどころが出てくるでしょう。それによってさらに職場での評価は上がり、居心地が良くなってくるはずです。
　❿ 最終結果の「剣ペイジ」の逆位置は、それほど強いカードではなく、独立するほどの勢いには欠けていることを示しています。しかし、⓫ 最終結果の補足に「棒ペイジ」が出ており、この職場にいることで、仕事に関する良い情報をつかめるでしょう。あなたは、次第にこの職場で必要とされているということを実感するようになるのです。「剣ペイジ」は逆位置であっても知的な人物を示しますから、あなたは社内の情報伝達役などで活躍するのではないでしょうか。
　今は自由な時間が取れないなど心身共に辛い時期のようですが、もう少し時間が経てば、良い形での動きが出てくるはずです。ですから退職や転職などで下手に動くのは避けて、健康に気をつけながらも今の仕事をやり抜くとよいでしょう。
　⓬ 対策の「金貨キング」は、あなたに「今の職場に腰を落ち着けた方がよい」という助言を伝えています。あなたは今の職場で、才能を存分に発揮できるのです。

CASE. 7 仕 事

「最近独立して、近々自分の飲食店をオープンする予定です。売上は安定しますか？」（42才・男性・自営業）

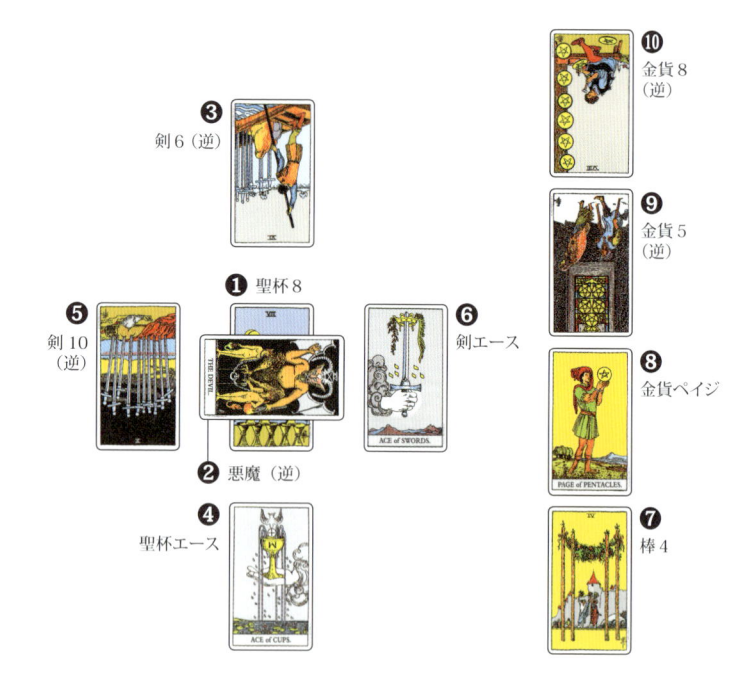

- ❶ 聖杯8
- ❷ 悪魔（逆）
- ❸ 剣6（逆）
- ❹ 聖杯エース
- ❺ 剣10（逆）
- ❻ 剣エース
- ❼ 棒4
- ❽ 金貨ペイジ
- ❾ 金貨5（逆）
- ❿ 金貨8（逆）

❶ 問題の現在の状態
❷ 問題の障害もしくは援助
❸ 質問者の表面的な気持ち
❹ 質問者の潜在的な気持ち
❺ 問題の過去の状態
❻ 問題の近い未来の状態
❼ 質問者の現在の立場
❽ 周囲の状況もしくは気持ち
❾ 質問者の期待もしくは恐れ
❿ 最終結果

既にオープンする時期も経営方針も決まっていて、それほど対策は必要ではない仕事の相談内容であるため、「ケルト十字」を選びました。

❶ 問題の現在の状態の「聖杯8」は、過去に培ってきたことをすべて捨て去ったことを示すため、新しくオープンする店は今まで携わってきた仕事とは全く別の業種であり、あなたにとっては未経験の世界であることがわかります。それでも心は新規事業に向けて心はワクワクと浮かれていて、精神的にテンションが高まっている状態でしょう。

しかし、あなたは経済的に採算が取れるかなどの具体的かつ現実的な調査をせずに、新事業に対する憧れと期待感だけでその店を経営することを決定したのではないでしょうか。

❽ 周囲の状況もしくは気持ちの「金貨ペイジ」は、あなたの誠実な働きぶりや人柄に好意を持って固定客がついたり、今現在の友人知人がお客様になって尋ねてきてくれたりすることを示しています。しかし、その数はあまり多くはなく、また大金もはたいてはくれないでしょう。

お店がオープンしてからしばらくすると、その経営状況に鋭いメスが入る出来事がありそうです。それは大幅赤字かもしれませんし、どこかからクレームが入ることかもしれません。それほど遠くないうちに、現実はそう甘くはないということを実感しそうです。

❿ 最終結果の「金貨8」の逆位置は、経営がスタートしてからある程度の時間が過ぎても、あなたが根気やこの仕事を向上させていこうと努力する姿勢を持てないことを示しています。

最終的には経営への情熱と資金が長く続かず、予想よりも早い時点で閉店することを選ぶ結果になりがちです。長く続けていきたいのであれば、具体的に売り上げを伸ばすための調査や研究をするなどして、試行錯誤を繰り返しながら、少しずつ経営方針を変えて様子を見続けるとよいでしょう。

CASE. 8 仕事

「客商売の会社を経営していますが、我が社の今年1年の業績や動向はどうなりますか？」

（54才・男性・会社経営）

- ❿ 金貨キング（逆）
- ⓫ 剣2
- ❾ 聖杯キング（逆）
- ❽ 月
- ⓬ 吊るされた男
- ❶ 聖杯4（逆）
- ⓭ 法王
- ❼ 棒6
- ❷ 愚者
- ❸ 聖杯エース
- ❹ 棒7（逆）
- ❺ 悪魔（逆）
- ❻ 剣ナイト

❶ 社員・社員が置かれた状況
❷ 普段の収支額・景気
❸ 情報量・社内のコミュニケーション
❹ 会社が持つ潜在的な運気
❺ イベント・休日の状況
❻ 日常的な労働・設備・清掃の状況
❼ 取引先の状況
❽ 資本金・出資者の状況
❾ 出張・貿易
❿ 社長・上司の状況
⓫ 顧客・協力者の状況
⓬ 事故・事件などのトラブル
⓭ トータル的な運気

会社が持つ全体的な運気は、西洋占星術で社会の動きなどを占うホロスコープの中のマンデン法という見方を応用して、各カードの位置の意味を前頁のように替えることで、占うことができます。

　展開したカードを全体的に見ると、決してパッと華やかというわけではありませんが、極端にネガティブなカードは見当たりません。また❸トータル的な運気を示すカードは「法王」で、周囲の人達からの温かさや援助を得られ、穏やかで安定感のある1年間であることがわかります。実際に対人関係を示す❸情報量・社内のコミュニケーションの「聖杯エース」、❼取引先の状況の「棒6」、⓫顧客・協力者の状況の「剣2」と、3枚すべてがポジティブなカードとなっています。

　しかし、質問者本人を示す❿社長・上司の状況は「金貨キング」の逆位置であり、社長としての威厳は保ちながらも、変化のない退屈な経営状況に、漠然とした不満やストレスをため込んでいる精神状態が見受けられます。

　肝心な会社の業績や動向ですが、❷普段の収支額・景気の「愚者」や❽資本金・出資者の状況の「月」などから、可もなく不可もない状況であると判断できます。大きな方向性の転換もなく、業績が一気に上向いたり、もしくは急下降したりすることもなく、曖昧で不安感のある状態が淡々と続いていく感じでしょう。そうしたマンネリな現状を打破するためには、新規の物事を取り入れて、意識的に改革を求める姿勢が必要です。

　ちなみにホロスコープで全体運を読み取る時は、❶と❼、❷と❽……というふうにして対角線のカードを合わせてある事柄を読み取ることもできますが、それ以外にも、❶❺❾を合わせて顕在的な事柄を、❷❻❿を合わせて物質的・現実的な事柄を、❸❼⓫を合わせて対外的な事柄を、❹❽⓬を合わせて潜在的な事柄を読み取ることも可能です。

CASE. 9 健康

「心の病に苦しみ、最近になって病院に通い出しました。まだ回復の兆しは見えないのですが、いつ兆しが見えますか？ そして1年以内には良くなりますか？」(40才・主婦)

配置図:
- ⑫ 聖杯エース
- ⑪ 金貨5
- ⑩ 剣7（逆）
- ⑨ 聖杯クイーン
- ⑧ 聖杯10
- ① 金貨6（逆）
- ⑬ 金貨ペイジ
- ⑦ 女帝
- ② 棒7
- ③ 聖杯9
- ④ 金貨キング
- ⑤ 金貨4
- ⑥ 棒ナイト（逆）

❶ 今月（3月）の状態
❷ 4月の状態
❸ 5月の状態
❹ 6月の状態
❺ 7月の状態
❻ 8月の状態
❼ 9月の状態
❽ 10月の状態
❾ 11月の状態
❿ 12月の状態
⓫ 翌年の1月の状態
⓬ 翌年の2月の状態
⓭ 今後1年間のトータル運

質問内容が「いつ」という、時期を教えて欲しいというものであったため、1年の中の各月の運勢を占える「ホロスコープ」を選びました。この問題を占ったのは3月の頭でしたから、❶ を3月に設定し、❷ は4月、❸ は5月……と、順次月の流れを追っています。もし3月末にこの問題を占ったのであれば、❶ は4月に設定するとよいでしょう。

　全体的な流れを見ると、精神をとがらせる意味の強い剣のスートは1枚のみで、穏やかで安定感のあるカードが多く並んでいます。

　❶ 今月（3月）の状態の「金貨6」の逆位置が比較的ネガティブなカードですが、苦しみの度数はそれほど強くはありません。そして翌月を示す ❷ 4月の状態の「棒7」は、苦しい状況の中で自分に甘えることなく、心の病を治癒するために前向きに戦っている姿がうかがえます。そうした積極的な姿勢が功を奏し、2～3ヶ月後を示す ❸ 5月の状態には、ウィッシュカードと呼ばれる「聖杯9」が正位置で出ており、「これは回復に向かうだろう」と実感できて、早くも満足感を味わうことができるでしょう。それから先の6月以降も極端にネガティブなカードはなく、安定したカードが続いています。ですからその心の病は、それほど時間をかけることなく治癒すると判断できます。

　この中で一番パワーが強いカードは、❼ 9月の状態を示す、唯一の大アルカナの「女帝」です。「女帝」は豊かな幸福感を示すカードですから、9月になれば、「もう完全に回復した」と実感できるでしょう。

　「金貨5」が出ている来年の1月には、また不安感を味わうかもしれませんが、翌月の2月に純粋さや感動を示す「聖杯エース」が出ているため、それもすぐに回復するはずです。

　⓭ 1年間のトータル運を示す「金貨ペイジ」は、あなたが病院の指示に従いながら、真面目にこの病と向き合うことができるため、今から1年以内には安定した精神状態を取り戻すことができるという結果を示しています。

CASE. 10 健康

「ダイエットをしては、すぐに挫折するの繰り返しです。最近になってさらに体重が増加してしまいました。近いうちにダイエットが成功して、理想の体型になれますか？」(25才・女性・販売員)

- ❶ 剣8
- ❷ 棒ペイジ
- ❸ 節制（逆）
- ❹ 棒5（逆）
- ❺ 金貨2
- ❻ 聖杯エース（逆）
- ❼ 棒クイーン
- ❽ 棒3（逆）
- ❾ 金貨4
- ❿ 棒9（逆）
- ⓫ 太陽（逆）
- ⓬ 金貨7（逆）

❶ 問題の現在の状態
❷ 問題の障害もしくは援助
❸ 質問者の表面的な気持ち
❹ 質問者の潜在的な気持ち
❺ 問題の過去の状態
❻ 問題の近い未来の状態
❼ 質問者の現在の立場
❽ 周囲の状況もしくは気持ち
❾ 質問者の期待もしくは恐れ
❿ 最終結果
⓫ 最終結果の補足
⓬ 対策

ダイエットの成功は精神状態が強く影響するため、自分の感情や願望を詳細に出し、なおかつ対策も占える「変形ケルト十字」を選びました。

　❹ 質問者の潜在的な気持ちの「棒5」の逆位置から、確かに今は心の奥で、「このままではまずい、何とかしなくては」という強い焦りや葛藤を抱えていることが読み取れます。しかし、❸ 質問者の表面的な気持ちの「節制」の逆位置が、必死になってダイエットをする気概がないことを示しています。過去にダイエットを繰り返したとのことですが、「何とかなるだろう」と楽観し、軽い気持ちで取り組んでいたのではないでしょうか。焦りや真剣味がなかったため、あまり長続きしなかったのでしょう。そうした過去からの楽観性が、現在の状況を生み出しているのです。

　❻ 問題の近い未来の状態の「聖杯エース」の逆位置と ⓫ 最終結果の補足の「太陽」の逆位置という今後の流れを見ると、残念ながらこのままでは、あなたの体重は減るどころか増えていく一方になりそうです。❾ 質問者の期待もしくは恐れの「金貨4」が、痩せたいと願う一方で「今の生活は変えたくない」という現状への執着心も持っていることを示しています。その固執が生活習慣や食生活の改善を阻み、体重が増え続けることを止められないのです。この流れはかなり急速で、早急に大きな手を打たなければ、止めることは困難です。

　しかしあなたが気にしているほど、周りはあなたの体重増加を気にしていません。⓬ 対策の「金貨7」の逆位置が、ストレスを生むだけなのでダイエットのことは頭から外し、気を楽にするとよいと告げています。また、あなたには活動力はありますので、食事量を減らすよりも運動量を増やす方が、やりやすいダイエット法のようです。良いダイエット情報も入りそうですから、普段からテレビや雑誌などを意識してみてください。

CASE. 11 人間関係

「数人のグループから、最近になっていじめを受けるようになりました。このいじめはずっと続きますか？　どうすればいじめられなくなるのでしょうか？」(14才・女子中学生)

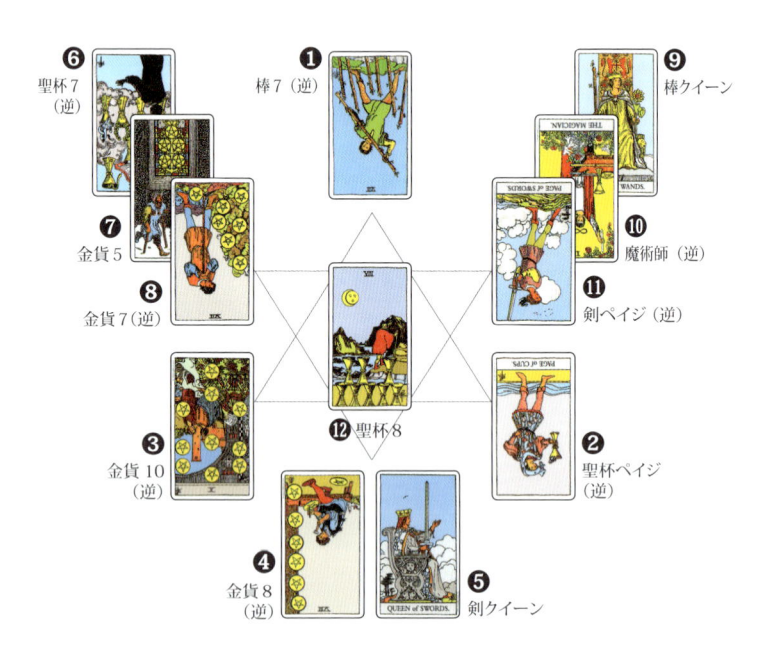

❶ 棒7（逆）
❷ 聖杯ペイジ（逆）
❸ 金貨10（逆）
❹ 金貨8（逆）
❺ 剣クイーン
❻ 聖杯7（逆）
❼ 金貨5
❽ 金貨7（逆）
❾ 棒クイーン
❿ 魔術師（逆）
⓫ 剣ペイジ（逆）
⓬ 聖杯8

❶ 問題の過去の状態
❷ 問題の現在の状態
❸ 問題の近い未来の状態
❹ 対策
❺ 対策
❻ 過去の周囲の状況もしくは気持ち
❼ 現在の周囲の状況もしくは気持ち
❽ 未来の周囲の状況もしくは気持ち
❾ 過去の質問者の状況もしくは気持ち
❿ 現在の質問者の状況もしくは気持ち
⓫ 未来の質問者の状況もしくは気持ち
⓬ 最終結果

いじめる側の心の動きが重要であり、詳細な対策も必要な問題であるため、相手の心の動きがわかり、対策のカードが2枚ある「変形ヘキサグラム」を選びました。

まずは、いじめる側の心理状態を示すカードを見てみます。あなたの方は芯が強く、自分をしっかりと持っているのに対して、いじめる相手の方は心が満たされておらず、心の中に隙間風が吹いているかのようです。心の行き場を見出せない空虚な状態なのでしょう。その虚しさを埋めるためにあなたをいじめていると判断できます。

自分を強く持ち華のあるあなたは、過去にちょっと目立つような言動を取ったことがあったのではないでしょうか。それが相手の「あなたをいじめたい」という欲求を刺激してしまったのかもしれません。しかし、今の状況はそれほど長くは続かないと出ていますので、大きな心配はご無用です。あなたはいじめる相手に対して決して屈することなく、毅然とした態度を取り続けることができるでしょう。❽ 未来の周囲の状況もしくは気持ちが「金貨7」の逆位置であることから、いじめられても弱気にならず、大きな反応を見せないあなたを見ているうちに、相手の方も「こんなことを続けていても意味がないな」と思うようになるはずです。

❸ 問題の近い未来の状態には、惰性のムードを示す「金貨10」の逆位置が出ていますから、それほど遠くない未来にいじめの勢いは弱くなることがわかります。そして ⓬ 最終結果の「聖杯8」が示すように、まるで何事もなかったかのように、いじめは完全になくなると判断できます。「聖杯8」に描かれている去っていく人物は、あなたではなく相手の方なのです。いじめが早く収まるための対策として、「いじめを何とか止めさせようと騒いだり反発したりすることなく、感情を心の中に隠して冷静な態度を取り続けるとよい」と2枚の対策のカードがあなたに告げています。しかしわざわざカードが告げなくても、あなたは自然とそれを実行することができるでしょう。

CASE.
12 人間関係

「最近になって母親との仲が悪く、時々兄弟姉妹の中でも自分だけに冷たい態度を取ってくる気がします。何が原因なのでしょうか？」

（20才・女性・アルバイト）

❶ 金貨クイーン（逆）
❷ 金貨7（逆）
❸ 金貨エース（逆）
❹ 聖杯10（逆）
❺ 恋人（逆）
❻ 聖杯8
❼ 剣8（逆）
❽ 剣3（逆）
❾ 剣6

❶ 表面意識の中の表面の意識
❷ 表面意識の中の中間の意識
❸ 表面意識の中の潜在の意識
❹ 中間意識の中の表面の意識
❺ 中間意識の中の中間の意識
❻ 中間意識の中の潜在の意識
❼ 潜在意識の中の表面の意識
❽ 潜在意識の中の中間の意識
❾ 潜在意識の中の潜在の意識

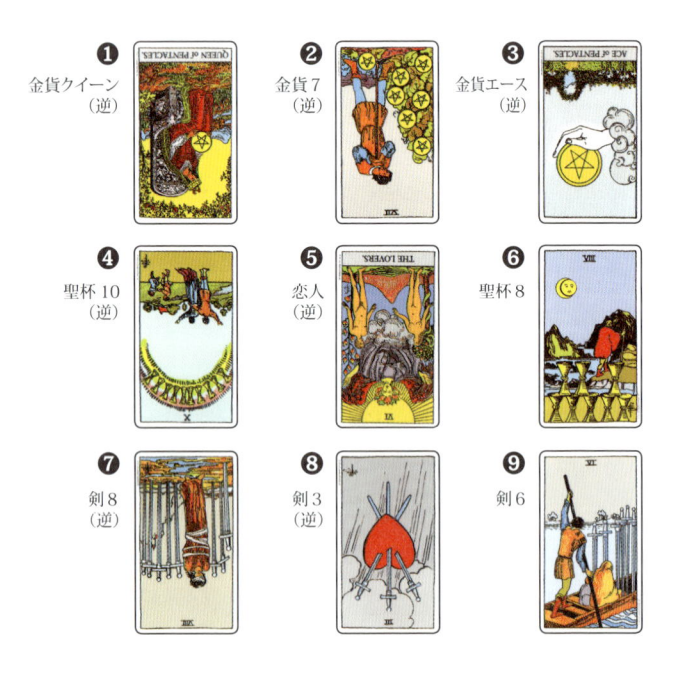

何故母親が冷たいのかというその理由を、この女性に対してどんな感情を持っているかを細かく分析することによって読み取るために、「ナインカードスプレッド」を選びました。

　まず目を引くのは、逆位置のカードが9枚中7枚と多く出ていることで、これは母親の気持ちがどこか緩慢で、集中力や理性に欠けた状態であると判断できます。また、表面意識の3枚が義理的や合理的な意識を示す「金貨」であり、中間意識が愛情を示す「聖杯」であり、潜在意識が3枚ともトゲのある「剣」であり……と、ハッキリと分かれている点も特徴です。

　すべての感情の基盤になる一番重要なカード❾潜在意識の中の潜在意識は「剣6」で、あなたを守りながらより良い方向へ導きたいという、母親らしい優しさを根本的に持っていることを示しています。しかし潜在意識を示すカードがすべてギスギスしたムードを示す「剣」のスートであり、そうした優しさを抱えつつも、心の奥には混乱や傷ついたことによる悲しみを抱えているようです。

　また、すべてを投げ出すという意味の「金貨エース」の逆位置と「聖杯8」が、同時に出ているのも気になります。過去にあなたの言動で心を傷つけられ、「親子としての縁を切ってもいい」というような、投げやりな気持ちがどこかにあるのではないでしょうか。それでも「金貨クイーン」の逆位置と「剣6」が、母親としての立場も捨てられずに呆然としている姿を浮かび上がらせます。また、表面的な意識に「金貨」が3枚並んでいるのは、自分の感情を抑えて義理人情で合理的に動こうとしている姿勢を示します。

　あなたの母親は、あなたの過去の何かしらの言動に傷つけられ、それを深く根に持っている可能性があります。「それではいけない」という理性を中途半端に持ちつつも、その傷を癒せないでいるのでしょう。

CASE. 13 未来予測

「特に大きな悩みはないのですが、これから1年間で何か気をつけた方がよいことがあれば教えてください」（35才・女性・フリーランス）

⓫ 棒6
⓾ 金貨10
❾ 剣7
❽ 金貨2
⓬ 死神（逆）
❶ 吊るされた男（逆）
❼ 世界（逆）
❷ 月
⓭ 聖杯7
❸ 皇帝
❹ 聖杯6（逆）
❺ 棒5
❻ 恋人（逆）

❶ 質問者の状況
❷ 普段使うお金・物質運
❸ 勉強運・頭脳運・精神状態
❹ 家庭運・母親の状況
❺ 恋愛運・レジャー運・子どもの状況
❻ 健康運・ペットの状況
❼ 結婚運・配偶者の状況
❽ 貯蓄運・死に関すること
❾ 旅行運・外国に関すること
❿ 仕事運・父親の状況
⓫ 友達運
⓬ 質問者の潜在意識・災害
⓭ トータル的な運気

具体的な悩みがない状態で、「さまざまな状況の中から悪くなりそうな状況を探す」ということですから、いろいろな状況を一気に出せる「ホロスコープ」を選びました。

　全体的に見渡すと極端に悪いと思えるカードはなく、中央の ⓭ トータル的な運気が「聖杯7」であることを見ても、この1年間の運気は極端に良くも悪くもない、曖昧で混沌とした状態であることがわかります。ですから、ひと言で言ってしまえば、「絶対にこれに気をつけなければならない」といえるほどの注意点は見つかりません。

　そんな中でも強引に注意点を探してみると、ネガティブなカードに❺ 恋愛運・レジャー運・子どもの状況の「棒5」があり、強い精神的な葛藤が訪れると読み取ることができます。相談者は独身女性ですから、このカードは恋愛運を示すと判断して問題ありません。5人の男性が棒を持って戦っている絵柄から、複数の男性に挟まれるなどして、恋愛状況が落ち着かないのかもしれません。

　また、❷ 普段使うお金・物質運の「月」も、極端に悪いカードというわけではありませんが、一応心に留めておいた方がよいでしょう。

　しかし、この中で一番ネガティブなカードは、❶「吊るされた男」の逆位置です。他には極端に悪い状況は出ていないのに、自分自身の状況が苦しいということは、自分で自分自身を精神的にも状況的にも追い込んでしまいやすいことを示しています。❸ 勉強運・頭脳運・精神状態の「皇帝」からみても、「〜しなければならない」という、強い責任感を持ち続ける年になるのではないでしょうか。精神的にリラックスしにくいのです。ですから恋愛も含めて、曖昧で混沌とした状況、例えば、夢や目標が見つからずに迷いが多くなるような自分を許せずに、「もっとちゃんとしなければ」と自分を追い込み、ストレスをため込んでしまうのかもしれません。その点を注意して、なるべく自分に楽をさせてあげるように心がけましょう。

CASE. 14 その他

「銀行で使う大事な印鑑をなくしてしまいました。家の中にありますか？ あるとしたら、家の中心から見てどの方角にありますか？」（49才・男性・自営業）

⓫ 棒10（逆）
⓰ 剣2
❾ 聖杯5（逆）
❽ 運命の輪
⓬ 法王
❶ 聖杯ナイト（逆）
❼ 皇帝
❷ 節制（逆）
⓭ 審判
❸ 星
❹ 金貨7（逆）
❺ 金貨9（逆）
❻ 棒クイーン

❶ 東
❷ 東北東
❸ 北北東
❹ 北
❺ 北北西
❻ 西北西
❼ 西
❽ 西南西
❾ 南南西
⓰ 南
⓫ 南南東
⓬ 東南東
⓭ 指針カード

なくし物がある方角を占って欲しいという相談内容ですから、各方角の状況を占うことができる「ホロスコープ」を選びました。
　中央の ❸ 指針カードは、質問の「家の中に印鑑があるのかどうか」の回答を示しています。ポジティブなカードであれば家の中にあるとし、ネガティブなカードであれば家の中にはないと設定します。正位置か逆位置かで、判断するようにしてもよいでしょう。
　これは、カードをシャッフルする時に頭の中でしっかりと念じながら、カードに伝えておくようにします。この鑑定では、指針カードには「審判」が出ており、ハッキリと「家の中にある」ということを告げています。
　それでは、家の中のどの方位にあるのか……各方位のカードを見て、その中で一番ポジティブでエネルギーが強いカードが出ている方角にあると判断します。展開されたカードを見ると、大アルカナの中でも ❸ 北北東の「星」、❼ 西の「皇帝」、❽ 西南西の「運命の輪」が、パワーが強いポジティブなカードであるといえます。
　しかし、今回は物質的なことを占いますから、精神性の強い「星」は物質があるイメージが薄いため、選定の中から外します。
　「運命の輪」と「皇帝」では、「皇帝」が物質を司ります。「運命の輪」もポジティブなカードですが、「一時的な幸運」という意味を持ち、安定性がありません。しかし「皇帝」の隣にあることもあり、なくした時に一時的に、「運命の輪」の位置にあったかもしれません。それが転がるなどして「皇帝」の位置にいつの間にか移動したのでは……と考えられます。ですから、今現在は家の中心から見て西の方角にある可能性が高い、と判断します。
　もし、❸ 指針カードで「家の中にはない」ということを示すネガティブなカードが出た場合は、「それでは、家から見てどの方位にあるのか」と設定して、印鑑が家の外のどの方位にあるのかを占うことも可能です。

CASE.
15 その他

「以前飼っていた犬が老衰で死んでから１年経ちますが、よその家で飼えなくなった２才の小型犬を引き取ろうかと考えています。無事に懐き、家族の一員になってくれますか？」(51才・主婦)

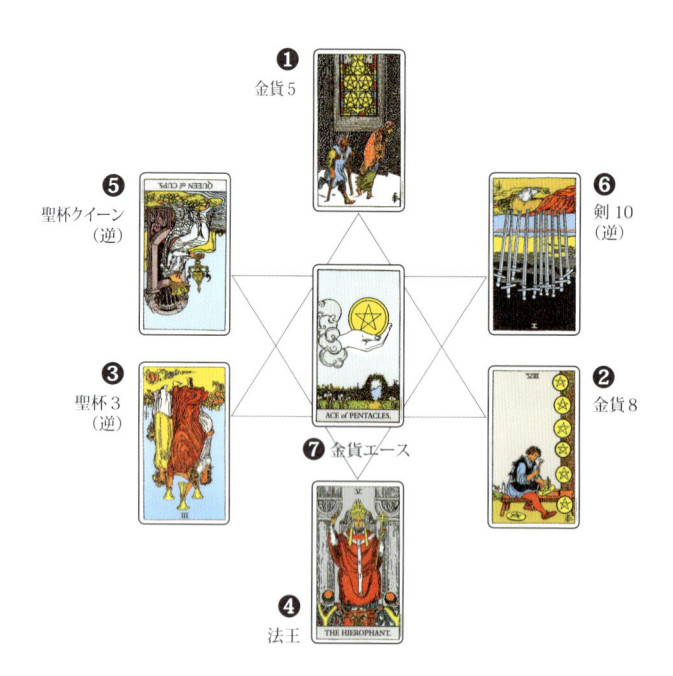

❶ 金貨5
❺ 聖杯クイーン（逆）
❻ 剣10（逆）
❸ 聖杯3（逆）
❼ 金貨エース
❷ 金貨8
❹ 法王

❶ 問題の過去の状態
❷ 問題の現在の状態
❸ 問題の近い未来の状態
❹ 対策
❺ 周囲の状況もしくは気持ち
❻ 自分の状況もしくは気持ち
❼ 最終結果

「変形ヘキサグラム」を選んでもよかったのですが、動物の感情はそれほど細かく出す必要がないため、焦点を絞って占えるようにと、枚数の少ない「ヘキサグラム」を選びました。

まず、引き取る予定の小型犬があなたの家に来た場合、その犬の精神状態はかなりナーバスになっている気配があります。前の家族から引き離されたことに落ち込みを感じて、元気がない状態かもしれません。また、性格的には少しワガママですが、情が深くて甘えん坊でおとなしい犬でしょう。

あなたの方は、以前の飼い犬を亡くしてから、家の中が閑散として寂しい状態だったことでしょう。それだけ、過去の犬の存在感が大きかったのではないでしょうか。そして1年経ってようやく気持ちが吹っ切れてきて、次の犬を迎え入れようという動きになったと読み取れます。

❼ 最終結果を示す「金貨エース」は、まさにこの新しく迎え入れる犬が、一家にとっての大事な宝物になるということを伝えています。「迎え入れるのであれば、キチンと準備を整えておこう」という、あなたの誠意が犬に通じるのです。家に来てしばらくの間は犬が落ち着かずに、部屋の中を無駄に走り回ったり、少し吠えたりはするかもしれません。そのためはじめのうちは家族全員が、この犬のためにソワソワと落ち着かない日々を過ごすことになるでしょう。

❹ 対策の「法王」は、「この犬をぜひ迎え入れてあげなさい」ということと「慈愛心を込めて大事に育てなさい」というアドバイスをあなたに提示しています。あなたのその決意を前向きに応援してくれているのです。ですから一時的に状況が落ち着かなかったとしても、根気よく愛情を込めて接し続けていくことにより、「迎え入れて良かった」と心から思える日が訪れるはずです。

CASE. 16 その他

「東京23区内の会社に勤めていますが、来年1年間は日本各地へ出張する予定です。私にとっての吉方位はどれですか？」(30才・男性・会社員)

- ⓫ 聖杯4（逆）
- ❿ 法王
- ❾ 金貨7（逆）
- ❽ 塔
- ⓬ 聖杯8（逆）
- ❶ 剣6
- ❼ 剣2
- ❷ 棒8
- ❸ 金貨6
- ❹ 剣5（逆）
- ❺ 金貨9
- ❻ 剣キング
- ⓭ 愚者

❶ 東
❷ 東北東
❸ 北北東
❹ 北
❺ 北北西
❻ 西北西
❼ 西
❽ 西南西
❾ 南南西
❿ 南
⓫ 南南東
⓬ 東南東
⓭ 指針カード

方角を読み取るために、「ホロスコープ」を選びました。

　中央の ⓭ 指針カードは、あちこちに旅立つ人物が描かれている「愚者」です。まさに相談内容の通り、来年1年間はあまり休むことなく各地を飛び回り、目的のない放浪の旅を続けているような気分になるかもしれません。

　「吉方位はどこか」という質問ですが、展開したカードを見ると、一番強く目を引くのは、大アルカナの凶札である ❽ 西南西の「塔」です。それ以外は全体的に穏やかなカードが多く、極端にネガティブなカードはありません。ですから、唯一気をつけた方がよい方位がこの西南西となり、質問者の職場の位置から考えると、静岡県や四国地方あたりが危険ということになります。この地への出張はできるかぎり避けるか、それが難しいようであれば、事前にしっかり道順の確認を行ったり、早め早めの行動を心がけたりして準備万端で臨み、出張先では無理をせず、慎重に過ごすように心がけましょう。

　全方位の中で一番ポジティブなカードは、大アルカナの「法王」が出ている南になります。南は質問者の職場の位置から見ると、神奈川県の横浜あたりのため、残念ながらかなり狭い範囲です。また海外を含めた場合は、オーストラリアやパプアニューギニアが入ります。この南の方位へ出張をすると、「法王」が意味する周囲からの良い援助を得られたり、穏やかで尊敬できる人物と出会ったりと、幸運な出来事が多いと判断できます。

　残りはすべて小アルカナになりますが、その中で吉方位を探すと、「剣6」が出ている東、「金貨6」が出ている北北東、「金貨9」が出ている北北西が挙げられます。もし自ら出張先を選べるようであれば、これらの吉方位の中から選ぶとよいでしょう。

　また、出張のみならず、プライベートでの旅行や引越しなどの方位も、吉方位の中から選ぶと幸運が訪れることが期待できます。

Column.3

未来は決められているか

　タロット占いが示す未来は、「このまま進むと、こうなる」という結果を示しています。状況を変えれば自然と訪れる未来も変わってくる、と考えるためです。

　しかし、「未来は生まれた時から、ある程度決められている」という説を最近見聞きするようになりました。生まれる前の記憶を保持している人が、生まれる前に何者かに「あの家に生まれれば、こんな人生になる」という一生を見せられ、それに納得して母親の胎内に宿ったというのです。しかし成長した今は、見せられた一生はすべて忘れてしまったそうです。

　以前私の趣味で、プロ野球の勝敗をタロットで占い続け、5連勝したことがあります。ただの勝敗だけではなく、「戦車」が出た方のチームは序盤からハイスピードで大量点を重ねるなど、カードが示す試合内容になる場合も多々ありました。気が抜けた時に外しましたが、根気よく占い続けていれば、かなりの確率で勝敗を当てられたかもしれません。

　勝敗が当たるということは、「試合前に、既に試合結果が決められている」ということです。先発投手や選手の状態などが絡み、ある程度予測できるためでしょうか。しかし、決してそれだけではないように思います。

　「未来は自分で作るもの」という考えが一般的ですが、「既に決められたレールの上を歩いている」という可能性も、最近考えるようになりました。

　どんなに強く願い、そして行動を起こしても、どうにもならないことが多々あります。それは既に決められた道筋から、自分の意志では外れられないからかもしれません。その道筋を人間に教えることは、タブーとされているようです。そのためどんな占術を駆使しても大災害を当てるのが困難であったり、占いが外れたりするのではないかと思います。

　タロット占いは、そんなタブーにあえて挑戦するツールです。あなたの普段の生活態度や精神状態が良ければ、タロットは教えることがタブーである未来を、あなたに垣間見せてくれることでしょう。

「ライダー版(ウェイト版)タロット」はU.S.Games社の許可を得て掲載しました。

Illustrations from the Rider-Waite Tarot Deck® reproduced by permission of U.S. Games Systems, Inc., Stamford, CT 06902 USA. Copyright ©1990 by U.S. Games Systems, Inc. Further reproduction prohibited. The Rider-Waite Tarot Deck® is a registered trademark of U.S. Games Systems, Inc.

※本書で使用したタロットカードは、
ニチユー株式会社（日本輸入代理店・販売元）で取り扱っております。
電話／03-3843-6431
FAX ／03-3843-6430
http://www.nichiyu.net/

おわりに

　2011年3月3日から本書の執筆をスタートし、各カードの意味を執筆している段階で、3月11日14時46分にマグニチュード9.0の東日本大震災が発生しました。大津波によって多くの犠牲者を出し、今の段階でまだ行方不明者が1万人を超えています。千葉県在住の私は震度6弱の揺れに見舞われたものの、頑強な建物に守られていたお陰で事なきを得ました。その日は関東周辺の電車がすべてストップしましたから、本書の執筆がなければ都内などに出ていて帰宅難民になり、不安な一夜を過ごしたかもしれません。

　その後、余震で絶え間なく揺れ続ける中で執筆を続け、3月20日にこのあとがきに辿り着くことができました。短くも、長く長く感じる執筆期間となりました。

　本書は、いかがでしたでしょうか。前著の『はじめての人のためのらくらくタロット入門』と『続　はじめての人のためのらくらくタロット入門』よりも、展開されたカードをさらに踏み込んで読めるようにと、心を込めて執筆させていただきました。特に「タロット占いQ＆A」の項目では、私自身が頭の中に入れているタロットの占い方や読み方、考え方について、ある程度お伝えできたのではないかと思っています。

　占いとは全く無関係ですが、最近一眼レフのデジタルカメラを購入し、趣味として写真撮影を楽しむようになりました。そこで長く撮影を趣味としている方から、「カメラの機能や操作を覚えることは、時間をかければ誰でも修得できるが、写真の構図を作り出す『センス』だけはどうしようもない」ということをうかがいました。センスは生まれ持ったものであり、勉強で何かを暗記したり、ちょっと練習したりすれば身につくものではない、ということです。

　タロットカードの読み方も、正直なところ、このセンスが大きく左右し

ます。複数のカードを組み合わせて状況の全体的な流れを導き出すセンス、カードが伝えようとしている意味をすんなりと読み取るセンス……。「こうでなければならない」というこだわりが強く、思考に堅さがある場合は、カードの意味を読み取ることが難しいようです。逆に、創造力が豊かな場合は、柔軟性があり広がりのあるカードの読みができるようです。

　しかし、実占を通して「このカードとこのカードが出ると、こういうことが起こるんだな」と把握する経験を積み重ねることになり、柔軟にカードを読み取るというセンスが次第に育まれていくと考えています。その修得が早い人と遅い人がいるというだけです。実占を重ねていけば重ねていくほど、その修得するペースは加速していくはずです。

　タロット占いは、見えない世界の「善の力」がサポートしてくれる占術です。ですから、使い方さえ間違わなければ、あなたの人生をより豊かなものにしてくれるでしょう。

　そして大震災を目の当たりにしている今、全員で力を出し合い、日本は復興に向けて前進しなければならない状況に置かれています。また世界全体で、地球温暖化の影響も深刻化してきています。こうして世界全体がさまざまな現実的問題を抱えている中でも、祈りの力が世間に注目されるなど、タロット占いが司る目に見えない世界の役割も、決して無視はできません。目に見えない世界の中には、人々の心の叫びや揺れ動く感情がひしめき合い、現実世界に影響を与えているのですから。

　最後に、前作の2冊に引き続き、本の執筆のお声がけをいただき編集に尽力を注いでいただきました説話社の高木利幸様には、今回も大変お世話になりました。こうしたタロット占いをさらに深めるための公開の場をいただきましたことに、心より感謝を申し上げます。ありがとうございました。

著者紹介

藤森　緑（ふじもり・みどり）

幼少の頃から占いに並々ならぬ関心を持ち、1992年からプロ活動を開始。占い館・占いコーナー・電話鑑定・イベント等で多くの人数を鑑定。その後、2003年に占い原稿専門の有限会社を設立。各メディアに占い原稿を提供している。使用占術はタロットカード、ルーン、西洋占星術、九星気学、四柱推命、数秘術など幅広く、著書も多数。各プロバイダの占いページで展開している PC 占いサイト「藤森緑のFORTUNE ROOM」「藤森緑　幸運の架け橋」、携帯公式占いサイト「藤森緑・迷いの森」を展開。DSソフトとして「藤森緑のLET'Sタロット」も監修。
http://www.d3.dion.ne.jp/~fujimido/

ザ・タロット

発行日　2011年 7月22日　初版発行
　　　　2021年 5月17日　第 7 刷発行
著　者　藤森　緑
発行者　酒井文人
発行所　株式会社説話社
　　　　〒169-8077 東京都新宿区西早稲田1-1-6
　　　　電話／03-3204-8288（販売）03-3204-5185（編集）
　　　　振替口座／00160-8-69378
　　　　URL http://www.setsuwasha.com/

デザイン　市川さとみ
写　真　　市川さとみ
編集担当　高木利幸

印刷・製本　株式会社平河工業社
© Midori Fujimori Printed in Japan 2011
ISBN 978-4-916217-92-9　Ⓒ 2011

落丁本・乱丁本はお取り替えいたします。
購入者以外の第三者による本書のいかなる電子複製も一切認められていません。

説話社の本

タロット占いの第一歩は"らくらく"におまかせ！

はじめての人のための
らくらくタロット入門

藤森 緑・著

Ａ５判・並製・128頁
定価 1,320 円
（本体価格 1,200 円 + 税 10%）

タロット占いにムズカシイ知識は不要！今すぐにタロット占いをはじめたくなるはず。タロット入門書の決定版！

※『はじめての人のためのらくらくタロット入門』で掲載されているタロットカードは本書同様にライダー版（ウェイト版）タロットです。

説話社の本

小アルカナだって"らくらく"!!

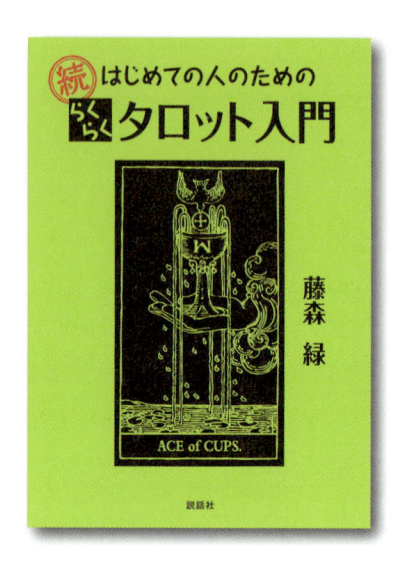

続 はじめての人のための
らくらくタロット入門

藤森 緑・著

A5判・並製・144頁
定価 1,430 円
(本体価格 1,300 円＋税 10%)

大好評の『らくらく入門』の続編。小アルカナだって、本書があれば"らくらく"マスター！

※『続 はじめての人のためのらくらくタロット入門』で掲載されているタロットカードは本書同様にライダー版（ウェイト版）タロットです。